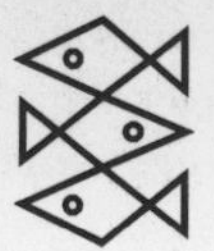

D1115121

Ein Literatenmensch in seiner Literatenklause am Starnberger See, der nach neunjähriger Vorarbeit in neun Jahren ein 800-Seiten-Opus zusammengeschrieben hat – die »romanhafte Geschichte der Einbildungskraft eines heroischen Sonderlings« sollte es werden – wird, am Schluß seines monströsen Werkes angelangt, zum Mörder nicht nur seines Helden (dem er Selbstmord verordnet), sondern gleich seines ganzen Werkes. Indem die übermächtige Wirklichkeit in Form von lesbischen Nachbarinnen, einem telegenen Philosophen, den tiefen Blicken wiederkäuender Kühe, einem echten Gewitter, einem Blutegelforscher, einem Frischzellenprofessor und allerlei sonstigem postmodernen Personal störend an den Autor herandrängt und ihn zu der schmerzlichen Einsicht zwingt, daß seine Fiktion der puren Tatsächlichkeit nicht standhält, wird ein schleichender Prozeß spontaner Literaturvernichtung in Gang gesetzt: der Autor kürzt, streicht, zerreißt Kapitel um Kapitel, bis von seinem Riesenmanuskript kaum mehr etwas übrigbleibt.
Der Traum sämtlicher Büchermenschen vom Buch, das einem erspart bleibt, hier ist er Buch geworden. »Michael Krügers Buchvernichtungsbuch ist ein Zeitgeist-Lustspiel« (›Die Zeit‹).

Michael Krüger, geb. 1943 in Wittgendorf, Kreis Zeitz, lebt in München. Herausgeber der Zeitschrift ›Akzente‹ und der ›Edition Akzente‹; Peter-Huchel-Preis 1986; verschiedene Literaturpreise. Veröffentlichungen u. a.: ›Idyllen und Illusionen‹, Gedichte (1989), ›Hinter der Grenze‹, Gedichte (1990) und ›Der Mann im Turm‹, Roman (1991).
Im Fischer Taschenbuch erschienen die Gedichtbände ›Aus der Ebene‹ (Bd. 5865), ›Diderots Katze‹ (Bd. 2256) und ›Die Dronte‹ (Bd. 9222).

Michael Krüger
Das Ende des Romans
Eine Novelle

Fischer Taschenbuch Verlag

Ungekürzte Ausgabe
Veröffentlicht im Fischer Taschenbuch Verlag GmbH,
Frankfurt am Main, Oktober 1992

Lizenzausgabe mit freundlicher Genehmigung
des Residenz Verlags, Salzburg und Wien

Umschlaggestaltung: Buchholz / Hinsch / Hensinger
Umschlagabbildung: Kurt Schwitters, ›Auf dem Karton‹
Gesamtherstellung: Clausen & Bosse, Leck
Printed in Germany
ISBN 3-596-11018-1

Ich weiß nicht, warum ich geboren wurde; auch nicht wie; ebensowenig, was die Welt sei oder was ich selbst sein mag. Und will ich es untersuchen, so muß ich es bald unterlassen, indem meine immer größer werdende Unwissenheit mich verwirrt. Ich weiß nicht, was mein Leib, meine Sinne, meine Seele sind; ja auch der Teil von mir selbst, welcher denkt, was ich schreibe, und der über alles, auch über sich selbst, Untersuchungen anstellt, wird sich niemals erkennen können. Vergebens strebt mein Geist, die unermeßlichen Räume des mich umgebenden Alls zu ermessen. Es ist mir, als sei ich an den winzigen Winkel eines schrankenlosen Raumes geheftet, ohne zu wissen, warum ich eben hierher und nicht an einen anderen Ort gestellt bin oder warum die kurze Zeit meines Daseins eben für diesen Augenblick der Ewigkeit und nicht für alle vorhergegangenen oder nachfolgenden bestimmt sei. Von allen Seiten seh ich nichts als Unendlichkeiten, die mich gleich einem Atom verschlingen.

Ugo Foscolo

1

Ich ließ ihn sterben. Woher ich die Kraft nahm, diesem ungeduldigen Gegenüber vieler Jahre, diesem nimmermüden Quälgeist und zwielichtigen Gefährten, der so viel redseliger und intelligenter war als ich und dessen Vitalität unerschöpflich zu sein schien, einfach die Luft abzudrehen, konnte ich nicht sagen. Heute muß er dran glauben, dieser Entschluß stand am Morgen fest. Ein letzter Satz noch. Aber keine Begründung, nicht das Durchhauen einer metaphysischen Kette, mit der er sich an die Dinge gefesselt fühlte, aber auch nichts Ironisches, nichts über die Zeit, die ihm zu entgleiten drohte und über die er endlos geredet hatte in unseren nächtlichen Auseinandersetzungen, keine Wehmut, keine Klage, die er zu beherrschen schien wie kein anderer, kein Wortspiel, kein Pathos, keine Trauer, vor allem nicht die blitzhafte Erkenntnis, daß der Tod einem gesichtslosen Leben zu einer ausdrucksstarken Maske verhelfen könne, wie er es oft behauptet hatte, wenn er sich über den Tod von Freunden hinwegreden wollte, aber auch nichts Technisches über die Wahl der Mittel, die ihn zum Tode befördern sollten, um von dem schwerwiegenden Entschluß abzulenken, und auch nichts Sachliches, das un-

sere Beziehung, den Abbruch unserer Beziehung betraf. Mit diesem letzten Satz mußte er sein Leben zugleich erhalten und für immer verlieren. Dieser Satz, Schlußstein eines bewußt unfertigen Gebäudes, war nicht leicht zu finden zwischen den vielen Sätzen, die den Menschen feierten, als hätte er, der sich ständig Verwandelnde, schließlich nicht doch nur noch den Schlußsatz im Mund, das bröckelnde Fazit.
Bis die Sonne am Zenit stand, hatte ich schon mehr als dreißig Sätze notiert und verworfen, ein krauses Panorama von sich widersprechenden Aussagen entwickelt, in dem das Periphere sich ständig ins Zentrum schob, um von nachfolgenden Sätzen wieder ins Beiläufige gedrängt zu werden, daß ich schließlich nachgab und ihm noch Zeit lassen wollte: er sollte Gift nehmen, ein mildes Pflanzengift, das ihn langsam lähmen würde, so langsam, daß er in liegender Haltung noch ausreichend Zeit hätte, in den Himmel zu starren, der mühelos seine letzten Gedanken verschlingen würde. Gift? War Gift noch ein zeitgemäßes Mittel, sich das Leben zu nehmen, wo wir alle an Giften krepieren, die wir selber erzeugen? Sollte er nicht einfach verdämmern, nach einem Schluck Wasser, einem tiefen Atemzug, einem frechen Seufzer, einem langen letzten Blick auf die Welt? Nein, er sollte die Möglichkeit haben, noch einmal seinen Schmerz unter dem weiten Himmel zu sammeln, noch einmal einen Augenblick zu werfen in die Unend-

lichkeit, die seinen Körper, sein Leben geduldig und auf selbstverständliche Weise gleichgültig umfing, bevor er die Augen, an denen er sein ganzes Leben ausgerichtet hatte, für immer schließen würde. Seine Neuralgien, seine Zahnschmerzen, die hypochondrische Schlaflosigkeit, das Brennen der Kopfhaut, sein ganzer übersensibilisierter Empfindungsapparat zwischen Trieb und Hemmung, den er Tag für Tag beobachtet hatte wie ein gewissenhafter Forscher und den er, der fanatische Leser und lebenslange Schüler, mit literarischen Schmerzen gleichsam unterfütterte, um ihm eine Bedeutung zu geben, die über das banale Empfinden hinausging, alle diese durch Wiederholung gezüchteten Qualen, die ihm Hören und Sehen, Riechen und Schmecken bereiteten, konnten nicht mit einem Schlag beendet werden, spurenlos. Gift schied aus. Nach diesem Leben mußte er bedacht sterben, zeitlupenhaft, auch wenn für sein Verebben, sein Dahinschwinden nicht viele Sätze notwendig waren; vielleicht nur Worte: seine Lieblingsworte, Wünsche, Flüche, Häresien, die unverbunden, nackt auf der Seite stehen müßten und keinen Sinn ergeben würden, ein kleines gezacktes Panorama, schlecht für die Augen der Leser. Worte wie Brandzeichen.

Aber welche? Die Sprache ist ein Totenfeld von ausgebrannten Floskeln, so seine Rede, wenn er in den Salons zu schwadronieren pflegte, um die Zuhörer verächtlich zu machen.

Ich hatte mir eines späten Abends in der Apotheke von einer jungen Pharmazeutin die Wirkungsweise der gängigen Pflanzengifte erklären lassen und mich, fest davon überzeugt, daß er zum Gift greifen würde, schließlich für eines entschieden, das die Muskeln langsam entspannte, so daß er fühlen konnte, wie der Schmerz, diese gloriose Rückkehr der Natur in den Körper, über die er so oft sich verbreitet hatte, zu oft vielleicht, ihn endlich verließ. Die Pharmazeutin, die mich als guten Kunden von Kopfschmerz- und Schlaftabletten kannte und über den Grad meiner täglichen Vergiftung unterrichtet war, hatte mir zunächst nur widerwillig Antwort auf meine ins Detail gehenden Fragen gegeben und war auch nicht bereit gewesen, mir Indikationszettel auszuhändigen, die ich mir fotokopieren wollte, um möglichst genau über Einnahme, Wirkung und Gegenwirkung berichten zu können. Aber nach einigem Geplänkel über globale Lebensbedingungen einerseits, kosmische andererseits, über die Notwendigkeit, das eigene Leben nicht so wichtig zu nehmen, um das kosmische Weiterleben zu ermöglichen, ließ sie mich hinter der Ladentheke an einem Tisch Platz nehmen, der bald von toxikologischer Fachliteratur überquoll. Mein kleines schwarzes Notizheft war vollgeschrieben, als die Nachtschicht fast vorüber war. Ich weckte die Pharmazeutin, die mit geschwollenen Augen übellaunig hinter ihrem Paravent auftauchte, einem vierteiligen Eisenschirm mit neapolitanischen Genreszenen aus dem 18. Jahrhundert. (Die beiden Mittelflächen zierte eine Wild- und Geflügelhändlerszene: gerupfte Rebhühner, Poularden und Hasen ohne Fell hingen in leuchtenden Farben an einer aufgeklappten Türwand, und der Metzger, ein breites Messer in der Hand, erklärte der Kundin, die auf verblüffende Weise der Pharmazeutin glich, die Vorzüge des toten Fleisches.) Sie war offenbar ärgerlich darüber, daß sie meinem Eifer wachend nicht gewachsen gewesen war, und hörte mit unwirschem Ausdruck, daß ich mich für ein Wolfsmilchpräparat entschieden hatte. Die Wolfsmilchgewächse, besonders das Toxikodendron, hatten eine Unmenge gelehrter Literatur veranlaßt, die sich wie ein vergifteter Faden durch das 18. und 19. Jahrhundert zog. Heute war es nicht mehr gebräuchlich, jedenfalls war in den Akten des Göttinger Instituts für Selbstmordforschung in den Jahren seit seiner Gründung kein Fall von Wolfsmilchvergiftung aufgeführt. Aber mir gefiel die Vorstellung, daß er zu Wolfsmilch greifen würde, um seinen Schmerz zu überwältigen, auch wenn die Gefahr bestand, daß die Fachpresse — sollte sie sich überhaupt die Mühe machen, in den abgelegenen Folianten nachzublättern — mir nachweisen würde, daß mit derartigen Präparaten die von mir beschriebene Schmerzaustreibung nicht zu erreichen wäre. Wolfsmilch soll es sein, mit diesem Satz hatte ich die Pharmazeutin wieder

hinter ihre gerupften Vögel geschickt und war auf die Straße getreten.
Ich kaufte die Morgenzeitung und überflog die Stellenangebote, aber außer einer kuriosen Ausschreibung einer Stelle für Moralphilosophie gab es nichts, was mich fesseln konnte. Offene Stellen für ungegängeltes Denken waren Mangelware, Verbotslehrstühle dagegen wurden en masse angeboten, besonders auf dem flachen Land, wo sie in der Nachbarschaft von Industrieanlagen in der neu entwickelten Disziplin »Forschungsethik« wie Pilze aus dem verseuchten Boden schossen. Nie wieder, riefen die Forschungsethiker den rauchenden Schornsteinen zu, die ungerührt weiterrauchten, damit das Arbeitsbeschaffungsprogramm für Moralphilosophen, das von der Industrie bezahlt wurde, finanziert werden konnte. Ein schöner Kreislauf, dachte ich, der ethische Held als Opfer der Forschung im Beamtenstatus. Wen die Welt nicht mehr in ihren Bann schlägt, der muß sich in diesen Kreislauf einfügen oder eben Wolfsmilch trinken.
Den Bus ließ ich weiterfahren und machte mich zu Fuß auf über die Hügel, die mich von dem Dorf trennten, in dem ich in einem hölzernen Sommerhaus die letzten Jahre gelebt und gearbeitet hatte. Im Kopf probierte ich die Sätze aus, die ihm als letzte entfahren sollten, seinem müden Körper, den ich mir auf einer im Freien stehenden Liege vorstellte, ein innerer Monolog, der langsam zerfasern sollte, auslaufen in Satz-

fetzen, Splitter, Wörter. Und dennoch sollten die letzten Lebensminuten so gestaltet sein, als hätte er sein ganzes Leben nur für diesen Tag gelebt. Endlich der Ort, endlich die richtige Zeit, da sich der Funke entzündet und die faule Substanz in Asche legt. Aufgejagt aus der Alltäglichkeit, den Horizont der Zeit überblickend, wird ihm plötzlich schwarz vor Augen: und dann noch ein Ruf, eine Frage, ein jubelnder Abfall und die Tilgung des Schreckens.

Die Kühe waren schon wieder auf der Weide und schauten nur kurz auf, als ich, sie grüßend, vorüberging, die Schwalben zeichneten ihre tollkühne Geometrie in den Himmel, der See, der hier von der Höhe aus sichtbar wurde im Kessel, füllte sich langsam mit einem verführerischen Glitzern. An diesem erhabenen Tag, der sich der Abbildung in einer logischen Sprache zu entziehen schien, sollte er sterben, um mir meine Freiheit zurückzuerstatten.

2

Durch den löchrigen Sonnenschirm fielen zitternde Lichtflecken auf mein Manuskript, das von einem blanken Stein, den ich aus Griechenland mitgebracht hatte, daran gehindert wurde, sich im Garten zu verstreuen. In den Stein ist eine kleine Landschaft eingeschlossen, wie von Moosen gebildet, eine träumende Welt, ein Atlantis mit winzigen Häusern und seltsam verbogenen Tieren, die mühelos den grau abgetönten Himmel durchqueren und den hauchdünnen Strichmännchen, die auf gezackten Gassen erstarrt stehen, die Erinnerungen forttragen. Wer um Himmels willen sind wir, scheinen sie zu fragen in diesem unbelebten Wunder, dessen Teil sie sind, welche Mythologie müssen wir anwenden, um uns aus dieser Erstarrung herauszuerzählen? Keine Spur des Wirklichen ist zu verfolgen, ohne Spur sind sie verloren. Ein Baum bürstet geräuschlos den Himmel, ein Wind feilt beständig den Berg, und die Reden der Toten, die in dieser einfach gegliederten Welt ein Wörtchen mitzureden haben, flattern wie Spruchbänder über die Szenerie: »Und Fische kamen zu den Häusern der Menschen, backten sich selbst und trugen sich selber auf … und geröstete Drosseln mit Semmeln flogen in die Kehlen der Menschen.«

Ein Mönch auf dem Pelion hatte mir diesen Stein geschenkt, ein versengter Geselle, der mir in einem nie zuvor gehörten Englisch am Beispiel dieses Steins das Risiko des Goldenen Zeitalters erläutern wollte: Um ihn herum war das Schwirren von Toten wie das von Vögeln, wenn sie erschreckt nach allen Richtungen auseinanderflattern. Das Buch der Geschichte, sagte er, hat sich über uns geschlossen, weil wir zu einem eigenen Kapitel nicht mehr taugen. Es ist nicht mehr bereit, uns zu ertragen.

Vor mir lag die letzte Seite, deren Zentrum von meinem Bleistift beschwert wurde, deren Ecken dagegen sich aufbäumten, als wollten sie gegen meine Verfügung, Träger des letzten Satzes zu werden, protestieren. Die Wolken über dem See hatten zartrosa durchscheinende Ränder, von ferne kam das schnarrende Geräusch eines Rasenmähers über den Buckel des kleinen Hügels, hinter dem das Dorf lag, auf dem schmalen Weg zwischen dem Grundstück, auf dem ich arbeitete, und dem schilfigen Ufer stand das erste Liebespaar dieses Tages und schaute sich, eng aneinandergeschmiegt schwankend, so friedlich prüfend in die Augen, daß es unmöglich von den dramatischen Entschlüssen, die hundert Meter von ihm entfernt getroffen wurden, eine Ahnung haben konnte. Ich hustete anhaltend, um das Bild der Liebenden zu vertreiben, das mich bei der Formulierung der letzten Sätze störte. Dadurch wurden die Schwalben unruhig, die

plötzlich mit unerhörter Geschwindigkeit in eine kleine ausgebrochene Lücke im Holztor des Schuppens schossen, der den Sommer über als mein Arbeitsmagazin diente.
Ich hatte die undichten Stellen im Dach mit Teerpappe geflickt, so daß die Sommergewitter, die sich über dem See bildeten und an dessen Rändern heftig niedergingen, meine ausgelegte Zettelordnung nicht verwirren und verwässern konnten. Ein ausrangierter Traktor versorgte den Raum mit einem süßlichen Geruch nach Schmieröl, der sich wunderbar mit dem Geruch von warmem Holz mischte. Im Gartenhäuschen selber war für die Arbeitsunterlagen kein Platz, da es von einem schmalen Tisch, einem Stuhl, einer dreiteiligen Ausziehcouch aus den fünfziger Jahren, die mir als Bett diente, und einem wackligen Kiefernholzregal ganz ausgefüllt war. Das Regal mußte die Küchenausstattung fassen, eine kleine Stein- und Wurzelsammlung, das Arzneikästchen, in dem früher Sumatrazigarren lagerten, deren Geruch sich unangenehm den Kopfschmerztabletten beimischte, und eine Sammlung zerfledderter Taschenbücher, die von Frazers umfangreichem »Golden Bow« daran gehindert wurde, sich auf die Kochplatte zu stürzen, der ich nicht nur meinen heißen Milchkaffee verdankte. Daneben gab es ein Fernsehgerät mit schwarz-weißer Wiedergabe für die nationalen Lächerlichkeiten, denen jede Beziehung zum Ganzen und zum Grunde abging, und einen

Plattenspieler aus der Zeit der Ausziehcouch, den ich mit zehn Platten belegen konnte, die dann Stück für Stück krachend aufeinanderfielen und ein im Ablauf immer wieder überraschendes Konzert veranstalteten. Ich zähle das Inventar dieser rissigen Idylle nur deshalb auf, um mein mir bis heute rätselhaftes Verlangen nach eben diesem Ort begreifen zu lernen und um die alles andere als fairen Tricks, die ich angewandt hatte, das Wohnrecht in dieser erbärmlichen Klause zu genießen, zu rechtfertigen. Nur hier konnte ich arbeiten, dies war der mir zugewiesene Ort, um dem Handwerk der Schöpfung auf die Schliche zu kommen. Um die halbe Welt war ich gefahren und hatte die bizarrsten Orte aufgesucht, hatte Holzhütten in Mexiko und Kanada, Blechhütten in Griechenland und der Türkei gemietet, um in Ruhe und Abgeschiedenheit mein Gedankenkind aufziehen und entlassen zu können, und mußte stets nach Wochen feststellen, daß ich im Grunde nichts anderes getan hatte, als die alten Texte, die ich in dieser Behausung am See geschrieben hatte, noch einmal abzuschreiben. Dämonen und Fratzen, Gespenster und Kobolde hatte ich erfunden, Gegenden, die auf Landkarten sich nicht beschrieben finden, aber am Ende waren es nur Masken, deren stillgestellte Ausdruckskraft das eigentliche Chaos meines Helden überwölbten.

Ich hatte also allen Grund, hierher an den See zurückzukehren, da sonst zu befürchten stand, in Wiederholungen, Abschweifungen, nachträgliche Einschübe und Fußnoten abzugleiten, die aus dem streng Gefügten, wie es mir vorschwebte, eine »Enzyklopädie von Miszellen« machen würden. Nur in diesem windschiefen Gehäuse war es mir offenbar gegeben, über den Schmerz meines Helden in Worten nachzudenken und zu schreiben, die meinen Ansprüchen genügten. Nur von hier aus konnte ich diesem die Welt ewig mit seinen Ansichten belästigenden Menschen überallhin folgen, aufgeregt oder müde seinen teils beherrscht, teils stammelnd vorgebrachten Selbstauskünften lauschen. Bei jedem Wetter war ich ihm nachgeschlichen, hatte mich bei seinen mißglückten Liebesabenteuern in Haifa und Peru als geduldiger Stenograph in einer Ecke verkrochen, damit er — für mein Notizbuch — seine peinlichen Entschuldigungen zu Ende bringen konnte, hatte ihn bei politischen Gesprächen tapfer, aber aussichtslos mit Argumenten versorgt, wenn sie ihm angesichts der Brutalität und Niedrigkeit seiner Gesprächspartner auszugehen drohten, hatte ihm (in Ankara) ein Fluchtauto besorgt, als er während der Junta-Zeit den Kopf aus eigener Kraft nicht mehr aus der Schlinge ziehen konnte, und war ihm beigesprungen, als ein nicht näher zu bestimmendes Leiden ihn im Bett einer russischen Emigrantin in Harvestehude festhielt, deren Unersättlichkeit er sich nur durch zugeflüsterte Sprüche des genialen Rosanow zu erwehren

wußte: »Die Verbindung des Geschlechts mit Gott ist größer als die Verbindung des Verstandes mit Gott, größer auch als die Verbindung des Gewissens mit Gott — was hervorgeht daraus, daß alle Asexualisten sich als Atheisten entpuppen.«
Bis zu diesem Tag war ich sein unermüdlicher Antreiber gewesen, sein schlechtes Gewissen, sein endemisches Leiden, sein Freund in der Not. Ich hatte ihm die Bahn gewiesen, die ihn durch den Dschungel der Langeweile gebracht hatte, durch den Wirbel der Meinungen. Und ich hatte ihn dem Glück entrissen, wenn es ihn zu lähmen trachtete. Sollte ich ihn laufen lassen? Sollte ich in Kauf nehmen, daß er eines Tages winselnd vor der Tür stehen würde, als geschundener Verlierer, darum bettelnd, wieder an meinen Bleistift angeschlossen zu werden? Nein, ich brauchte meine diktatorische Niedertracht, ihn ein für alle Male von mir zu trennen, und ich brauchte einen gleichmütigen Abschied, banal und ohne Erklärung. Entweder die auf vielen hundert Seiten entwickelten Gründe reichten aus, diesen Entschluß zu beglaubigen, oder es gab eben nur die klassische Begründung: Eines schönen Tages entscheidet sich der nicht mehr ganz junge Mann, seine höchste Aufmerksamkeit auf seinen Schmerz zu lenken und in der Folge auf sein Leben zu verzichten. Ob aus Liebe zur Kontingenz, der letzten Überraschungskünstlerin in dieser Welt, ob aus Verdruß, aus tie-

fer Langeweile, das sollten die Leser entscheiden, und wahrscheinlich war die überall blühende Suizidforschung inzwischen so weit vorangekommen, daß auch für meinen Fall ein passender Begriff zur Verfügung stand. Der Selbstmord sollte nicht »aufgesetzt« wirken, nicht wie eine Verlegenheitslösung aussehen. Man sollte nicht denken, wünschte ich mir, der Tod des Helden komme etwas abrupt, er sei nicht wirklich abzuleiten, die Bewertung des Lebensmaterials lasse eigentlich auf ein hohes Alter schließen etc. Immer kommt der Tod etwas abrupt und im falschen Moment, nur in der Literatur hat er gefälligst zu warten, bis die Erfüllung bestimmter formaler Kriterien ihm die Berechtigung für sein Eingreifen zubilligt. Eine Idee, ein Lebensplan muß zu Ende geführt sein, dann darf er zuschlagen. Bei mir dagegen soll es der Held sein, der den Tod eines Tages, eines schönen Sommertages ruft, und schon soll er da sein mit seinem braunen Fläschchen Wolfsmilch. Nun gibt es noch einiges zu tun, einiges zu bedenken über die Welt und ihre Machenschaften, ein Gespräch mit Gott zu führen und einige Blicke in die unergründlichen Archive zu werfen, etwas über die Schmerzen zu sagen, die von der Wolfsmilch langsam aufgelöst werden. Aber dann soll Schluß sein. Ich spürte, wie mir die Welt entglitt, wie der Schmerz sich zu einem Punkt zusammenzog und durch den Körper wanderte auf der Suche nach einem Objekt. Ich spürte, wie alle

Teile des Körpers ihn abwiesen, bis er beschäftigungslos in der Magengrube erlosch. Oder soll ich in der dritten Person sprechen: Er spürte, wie die Welt ihm entglitt. Mit eigentümlicher Unbeteiligtheit lag er da, wie nach einem verpatzten Auftritt. Oder soll ich eine Reihe von allgemeinen Sätzen an den Schluß stellen, die nur mittelbar etwas mit dem Sterbenden zu tun haben, anamorphotische Sätze über das menschliche Dasein, das sich den Schmerz erfindet, um sprechen zu müssen, und das den Schmerz zu töten sich anschickt, um endlich wieder schweigen zu dürfen. Oder soll am Schluß eben doch nur eine absteigende Leiter von unverbundenen Wörtern stehen und an deren Ende:
Haß
Liebe
Entsetzliche Klarheit?
Neben dem Manuskripthaufen lag der Berg meiner Notizbücher, ein gefallenes Regiment von in China hergestellten Kladden in schwarzen Kunststoffeinbänden mit rotem Kopfschnitt, das Herz meines monströsen Werkes, dem es die Jahre über Ideen geliefert hatte. Diese Ideen standen auf den Vorsatzblättern in langen Kolumnen verzeichnet und erhielten dann, wenn sie Eingang in den Roman gefunden hatten, ein Häkchen. Eines nach dem anderen nahm ich die Notizbücher in die Hand und erschrak darüber, wie viele Eintragungen noch ohne Häkchen waren, denn die Vorstellung, daß die Personen mei-

nes Buches, ohnehin beschwert von einer erdrückenden Menge von Ansichten und Meinungen, auch die noch freien Stichwörter hätten diskutieren, vertreten und verwerfen müssen, ließ mich an dem ursprünglich ins Auge gefaßten Konzept der Totalität zweifeln. Auf den mehr als achthundert eng beschriebenen Seiten meines handschriftlichen Manuskripts war nach oberflächlicher Schätzung nur ein Drittel der geplanten Ideen untergebracht, und plötzlich beschlich mich der schreckliche Verdacht, daß die zwei unberücksichtigten Drittel die eigentlichen Konstitutionsträger der von mir stets als kühn konstruiert gedachten Personen sein könnten. Gleich das erste Stichwort im ersten Heft, das ich aufschlug, war im Buch nicht unterzubringen gewesen, obwohl es von einer Fülle interessanter Notizen begleitet wurde: Transmutation der Existenzweise. Es war noch mit Kugelschreiber geschrieben und mußte folglich aus einer Zeit stammen, in der ich mit einigen der Magie verpflichteten Zirkeln in Verbindung stand, an deren Seancen ich meinen auf der Suche nach der wahren Wahrheit befindlichen Helden beteiligen wollte. Das muß vor zwanzig Jahren gewesen sein, dachte ich, und schämte mich sogleich. Damals waren wir in einem Zustand hoher Empfänglichkeit für das Numinose, nachdem wir die rationalen Bestände geprüft und wieder verworfen hatten. Damals entstanden die ersten Skizzen für meinen Helden, die ersten zaghaften Striche zu seinem Porträt. Er sollte, so war damals meine Idee, wie ich mich jetzt gut erinnerte, aller rationalen Begründungen seiner Existenz verlustig gehen und sich einer mystischen Weltschau ausliefern, die ihn bis an die Grenze zum Wahn, ein Erleuchteter zu sein, hätte bringen sollen.

Das Material zu diesem Komplex war damals leicht zu haben, da viele meiner Bekannten sich bei den Schamanen im Himalaja besser auszukennen glaubten als in ihren Zweizimmerwohnungen. Und ich hatte in jener Zeit das besondere Glück, meine Wohnung mit einem Mädchen teilen zu dürfen, das in direktester Weise Zugang hatte zu mystischen Kreisen. Obwohl sie meine Untermieterin war und den Mietzins durch Hausarbeit abarbeiten sollte — eine Kleinigkeit, da sie ihrer mystischen Verstrickungen wegen einer regelmäßigen Beschäftigung nicht nachgehen konnte —, war sie im Handumdrehen Herrin unserer Wohngemeinschaft geworden: Sie bestimmte das fleischlose Essen, sie ordnete die wenigen Möbel nach ihrem Geschmack — und auch dieser war nur Werkzeug höherer Eingebungen —, sie verfügte über das Wirtschaftsgeld und tätigte Anschaffungen, die allenfalls ihr dienlich waren, von Gebetsteppichen bis zu heiligen Schalen, in denen Lampenruß, Dickmilch, Sandel, Honig und zerlassene Butter verrührt und aufbewahrt wurden. Sie war Hüterin und Horcherin, sie war der Engel der Riegel und der Stürze. Kam ich mittags von meinem Aushilfsjob bei der Post nach Hause und wollte mich über meine Bücher setzen, wurde mir dies verboten, weil meine negative Ausstrahlung die Meditation verwirrte, der sie im Nebenzimmer mit ihrer ehemals trotzkistischen Freundin oblag. Meine Schlafstatt landete eines Tages im Flur, weil die Vibrationen in meinem Zimmer angeblich abträglich waren für meine Seele. Meine Unterwäsche, grüner Militärstoff, wurde dem Müll übergeben, weil sich angeblich das Geschlecht darin nicht entfalten konnte. Meine Bücher wurden nach Farben und Größe geordnet, um die verschiedensten Stoffe und Geschichten miteinander ins Gespräch zu bringen, wodurch Marx in die Nachbarschaft des Oblomov geriet, Pareto nur wenige Seiten neben Montale ausharren mußte, und allerhand schrullige Dinge mehr. Sie hatte bereits eine erstaunliche Karriere in der Subkultur jener Jahre hinter sich, bevor sie, von einem gemeinsamen Freund, dem ihre Handleserei nicht mehr gefallen wollte, empfohlen, bei mir vorstellig wurde. Sie war Leiterin einer lesbischen Frauenzelle in Frankfurt gewesen, hatte trotzkistische Kurse zur Kunstgeschichte in Marburg veranstaltet, eine revolutionäre Filmgruppe »Vertov« in Hannover agitiert (deren Leiter heute in einem Schloß in meiner Nähe eine Consulting-Firma leitet) und mit einer Arbeit zum Bild des Übermenschen in der indischen Philosophie in Augsburg promoviert, alles Tätigkeiten, auf die sie mit beißendem Spott zurückblickte und nur Worte der Verachtung für die fand, die noch immer auf solchen Gebieten tätig waren. Durch Rudolf Steiner war sie auf die Idee verfallen, sich auf die Suche nach der verlorenen Harmonie begeben zu müssen, die sie ausgerechnet in meiner Wohnung vermutete. Und sie suchte gründlich. Einmal fand sie den Schlüssel im Tibetanischen Totenbuch, ein andermal in einem afrikanischen Mondritual, das ihren Menstruationsfluß zum Stillstand brachte, sie meditierte unablässig und legte Karten, pendelte die Wohnung aus und zwang mich mitten in der Nacht zu mißglücktem Verkehr, weil die Sterne eine solche Vereinigung nahelegten. Und sie deutete mit Inbrunst meine Träume, auch dann, wenn ich in Ermangelung geeigneten Traummaterials etwas erfand oder das erzählte, was ich gerade gelesen hatte. Träume, die den Tod ankündigten, waren ihr am liebsten, weil sie sich in ihnen als Totenführer beweisen konnte, erotische Träume bezeichnete sie als angelernt und lehnte sie ab. Ich schrieb immer mit, das Material füllte viele Seiten in meinem Büchlein. Und als sie mir eines Tages in der Weihnachtszeit – ich war wegen der vielen Post besonders kaputt – eröffnete, sie wolle eine größere Seance zur Vereinigung der Kräfte des Männlich-Himmlischen und des Weiblich-Erdhaften veranstalten, wußte ich, daß dieser Abend eine Art Initiation für meinen Helden abgeben würde. Es ging um die Transmutation der

Existenzweise, und teilnehmen sollten außer unserer ehemals trotzkistischen Freundin, ihrer Sklavin, um die Wahrheit zu sagen, die inzwischen auch mehr oder weniger bei uns wohnte, ein Dozent für Soziologie, der jedem mit kaltem Blick stets die Frage vorlegte: Wo aber wohnt der Geist? — ohne sich selbst je zu einer Antwort aufzuraffen, dessen Frau Beate, Leiterin einer Zen-Mühle und Psychotherapeutin, deren Geliebter, ein Philosoph, der in philosophischen Kreisen wegen seines Zynismus gemieden wurde, eine Schauspielerin der Städtischen Bühnen, die sich als »Käthchen« beide Beine gebrochen hatte und deshalb abends verfügbar war, und die Inhaberin einer Esoterik-Buchhandlung, die sich auf ihren eigenen Rechnungen, die ich monatlich unter Drohungen begleichen mußte, mit einem Turban abgebildet hatte. Ich mußte Crakkers, Salzstangen und Lindenblütentee besorgen, für den Philosophen Bier und weiße Schnäpse. Wir saßen um den Tisch im Wohnzimmer, die Bücher und Bilder waren verhängt, die Lampe abgedunkelt, und näherten uns gesprächsweise dem Zentrum des Abends, jener Instanz, die mächtiger sein sollte als unser Ich. Die esoterische Buchhändlerin griff gelegentlich nach meiner Hand und drückte sie schlapp und herzlos, wobei ihr schöner Oberkörper sich wie ein Pendel bewegte und sich ein Summen ihrem breiten Mund entrang, das im Lauf des Abends zu einem melodischen Stöhnen anschwoll, einem ziehen-

den Ton, der ein Unheil oder eben das Unbekannte anzukündigen schien. Gelegentlich wurde vorgelesen, über das Licht vom Unerschöpften Lichte zum Beispiel, aber sehr schlecht, wie ich fand, besonders der Soziologe war nicht in der Lage, drei Sätze ohne Versprecher über die Lippen zu bringen, was zu peinlichen Mißverständnissen bei den verschiedenen Trans-Zuständen führte: Transsubstation und Transmutation, von Transgredenzien und Translokationen ganz zu schweigen, in denen er sich heillos verhedderte. Die einzige sichtbare Transmutation war bei dem Zyniker auszumachen, der in kürzester Zeit den Obstler geschluckt hatte und rauschhafte Züge zeigte, die einen Uneingeweihten an Entrücktheit denken lassen mochten. Als die Lampe wieder brannte, war außer Transsudation nicht viel zu riechen. Die Akademiker wirkten steif und leidend wie nach einer Beerdigung, die Buchhändlerin lächelte schief und milde, und die Schauspielerin war sofort wieder mit ihren Gipsbeinen beschäftigt, deren linkes sie für eine Unterschrift dem trunkenen Philosophen in den Schoß legte, der tatsächlich mit blöder Miene einen Füllfederhalter zückte und seinem Widersacher mit dem gekrakelten Satz »Der Geist wohnt hier!« eins auszuwischen versuchte.
Ich selbst hatte mich irgendwann in der Toilette eingeschlossen und unter dem Stichwort »Transmutation der Existenzweise« sieben Seiten zu Papier gebracht und mit Hinweisen versehen,

wie ich sie in meinem Buch unterzubringen hoffte: Mein Held sollte mit einer Gruppe Gleichgesinnter in den Urwald fahren, um sich gemeinsam an allerlei exotischen Praktiken zu berauschen in der Hoffnung, die Mittelmäßigkeit, an der man litt und die als Resultat westlicher zivilisatorischer Entwicklungen interpretiert wurde, zu überwinden. Wie ich mir die Transmutation genau vorgestellt hatte, war den Aufzeichnungen nicht mehr recht abzulesen, nur daß mein kopflastiger Held eines Tages mit einem örtlichen Schamanen im Urwald verschwindet und erst nach Wochen als ein anderer sich wieder bei der Gruppe einfindet. Der Mensch ist meisterhaft mißlungen, hatte ich notiert, mit diesen Worten sollte er seine ehemaligen Gefährten begrüßen. Er sollte dann von der hybriden Art und Weise, mit der diese über ihre Lebensprobleme befanden, angewidert sein und sich entschließen, allein in die Zivilisation zurückzukehren, um sich hilflos dem Terror des Alltäglichen, mutlos dem Terror des Politischen auszuliefern: Kein Kampf mehr, keinen Mut beweisen, so lautete die letzte Eintragung zu diesem Stichwort, das aber im Verlauf der Niederschrift der letzten Fassung meines Romans keine Verwendung mehr gefunden hatte, weil der Held im Laufe seiner Häutungen im Gegensatz zum ersten Konzept ununterbrochen gegen das Leben und die Geschichte kämpft und allen verfügbaren Mut aufbringen muß, um in diesem Kampf nicht als lächerliche Figur auf die Verliererseite zu geraten. Die vielen Reisen — so beschloß ich später — führen ihn nicht über Europa hinaus und dienen in der Regel geschäftlichen Zwecken, nicht der Erleuchtung. Im Gegenteil, in der Regel kommt dieser Hermes als Geschlagener zurück, der dann die Gelegenheit erhält, das Geschlagensein zu analysieren, und zwar mit einer Beredsamkeit, die in eigentümlichem Kontrast steht zu der Hilflosigkeit, mit der er auf die Schläge reagiert. Sollte ich im nachhinein doch noch ein Yang und Yin-Kapitel einfügen, um wenigstens Teile des überschüssigen Materials zur Soziologie des Heiligen unterzubringen, das zwei weitere Hefte füllte und von »Wiedergeburt im indischen Licht« bis zu »Fragen des Tantra-Yoga« gegliedert war? Besser nicht. Vielmehr sollte und wollte ich meine ganze Kraft auf die letzten Sätze verwenden, die wahrscheinlich darüber entscheiden würden, was von meiner vieljährigen Arbeit zu halten war. Würde die Zusammenstellung dieser Sätze nicht gelingen, könnte ich das gesamte Manuskript vernichten! Also war ich gezwungen, alle nach der nun fälligen Bearbeitung des Manuskripts noch in mir schlummernden Restenergien darauf zu konzentrieren, jenes entscheidende Feuer zu entfachen, dessen flackernder Schein das überlange Gebilde in die richtige Beleuchtung rücken würde — oder ich durfte den Helden nicht sterben lassen und mußte weiterschreiben bis ans Ende. Entwe-

der der letzte Satz, so stand mir die Alternative vor Augen, als ich zum See hinunterblickte, der jetzt langsam eine bleierne Färbung anzunehmen begann, oder der Tod.
Ich ahnte, was in den kommenden Monaten auf mich zukommen würde. Die Bearbeitung und die Abschrift des Manuskripts mußten bis zum Ende des Jahres abgeschlossen sein, so lange würden sich die Schulden noch strecken lassen. Bis November konnte ich noch in der Laube bleiben, dann mußte ein warmes Zimmer gefunden werden. Ich holte den Wäschekorb und verstaute das Manuskript und die Notizbücher, stellte ihn in den Holzschuppen und schloß sorgfältig ab. Später wollte ich über den Hügel in die Dorfwirtschaft gehen, etwas essen. Der Tod des Helden mußte gefeiert werden.

3

An der Pforte, durch die man das Grundstück zum See hin verlassen konnte, erwartete mich eine der beiden Frauen aus dem Nachbarhaus, eine kleine, stämmige Person in einer Latzhose von unbeschreiblicher Farbe, die von zwei rutschenden Trägern notdürftig gehalten wurde. Ihr war das Essen ausgegangen, das Mineralwasser und die Zigaretten. Einmal in der Woche kam eine von beiden, um sich etwas zu leihen, am folgenden Tag besuchte mich die andere, um das Geliehene zurückzuerstatten. Eine perfekte Überwachung. Beide waren gleichermaßen neugierig, aufdringlich und anzüglich, beide beschäftigten sich in der Hauptsache mit übler Nachrede und hatten ein geradezu wissenschaftliches Verhältnis zum Klatsch. Beide spielten in jeweils unterschiedlicher Beleuchtung Hauptrollen in meinem Buch, ja, bestimmte Eigenschaften und Ausdrücke von beiden Frauen hatten sämtlichen Frauen meines Buches Farbe und Zeichnung verliehen. Diejenige, die vor mir stand, war mit einem Schriftsteller verheiratet gewesen, der in den dreißiger und vierziger Jahren eine Reihe von flachen Romanen geschrieben hatte, mit denen er weltberühmt wurde und reich. Da er homosexuell veranlagt war, hielt er es nie lange bei

einer Frau aus, seine Affairen und Eskapaden waren damals ebenso berühmt wie seine Werke. Viermal hintereinander hatte er seine Sekretärinnen geheiratet, die offenbar alle von dem Wunsch durchdrungen waren, ihn ans andere Ufer zu ziehen, wie seine letzte Frau sich ausdrückte, vergeblich. »Am anderen Ufer« hieß eines seiner Bücher, was stets als politische Allegorie mißverstanden wurde. Als ihn der Schlag traf, war er noch verheiratet, mit der vor mir stehenden Frau, hatte aber schon mit der neuen Sekretärin, die die Ehefrau, die im Moment der Eheschließung mit den Schreibtischarbeiten aufzuhören hatte, ablöste, ein neues Verhältnis angefangen, und zwar eines, wie ich mir oft hatte anhören müssen, das durchaus die Hoffnung barg, den Mann endlich von seiner widernatürlichen Besessenheit abzubringen. Frau und Sekretärin, so stand in seinem Testament, sollten sich um seinen Nachlaß kümmern, beide sollten in dem Hause wohnen bleiben, in dem er seinen Unsinn aufs Papier gebracht hatte, beide sollten sich schwesterlich in sein Erbe teilen und nie wieder heiraten. Ihr habt beide den einen Mann besessen, soll er, sein Leben aushauchend, gesagt haben, nun lebt weiter zu seinem Ruhme.
Zunächst hatten sie den Gärtner entlassen, den der Meister weit häufiger besessen hatte als sie, dann wurde die Bank gewechselt, weil deren Zweigstellenleiter, ein braver Mann, der auch mein Konto führte, einmal in der Woche zum

Verkehr kam, schließlich wurde sogar der Postbote, ein Vater von vier Buben, versetzt, da er sich in der Gastwirtschaft damit gebrüstet hatte, nicht nur die Briefe hingehalten zu haben. Für das Dorf war es nicht einfach gewesen, diese Skandale zu verkraften, für mich waren sie eine Goldgrube. Allein die Berichte in unserer See-Zeitung, die ich fast wortwörtlich übernehmen konnte, machten gut zwanzig Seiten meines Manuskripts aus, weil sie zur Darstellung der moralischen Situation in den sechziger Jahren Paradebeispiele lieferten. Der Schriftsteller diente meinem Helden als eine Art Vater, der ihn selbstlos in die Kunst des Schreibens einführte: Der Roman ist das monumentale Pendant des Lebens, so seine Weisung, die meinen Helden in sein trostloses Unterfangen einer Gesamtdarstellung des Lebens stolpern läßt.
Nach dem Tod des Meisters waren die beiden Frauen nun ganz unter sich und damit beschäftigt, eine historisch-kritische Edition der Werke und Briefe des Verstorbenen zu besorgen, eine Tätigkeit, die es in sich hatte, weil die unrühmliche Vergangenheit des Autors, die Schritt für Schritt ans Tageslicht kam, vor und von der jungen Generation stets als Akt des Widerstands interpretiert werden mußte. Die aus diesem Grund häufig wechselnden, aber immer jungen Germanisten bewohnten zwei Zimmer im Dachgeschoß des Hauses, aus deren kleinen Fenstern man sie manchmal hohläugig über den See blik-

ken sah, denn neben ihrer editorischen Arbeit — die Textgrundlage wurde nach den Handschriften erstellt, weil die gedruckten Bücher angeblich von der Zensur bis zur Unkenntlichkeit entstellt worden waren —, die ein Reinigen war der durch und durch schmuddeligen Texte, waren sie — bei freier Kost und Logis — auch dazu angehalten, den beiden Frauen zur Hand zu gehen, die ihrerseits sich bei den jungen Akademikern all das holten, was der Schriftsteller ihnen zu geben verweigert hatte. Da hatte einer der jungen Herren, der sich mir einmal eröffnet und dafür auch Eingang in mein Manuskript gefunden hatte, eine glänzende Doktorarbeit über die Lehre des Erhabenen und die Theorie der Lebensführung im protestantischen Christentum im Zeitalter der Aufklärung verfaßt und mußte nun nicht nur das penetrante Heil Hitler unter den Briefen des Schriftstellers tilgen, sondern auch noch dessen letzte Sekretärin bedienen, was die Witwe des Künstlers dazu veranlaßte, von ihm die doppelte Leistung für sich fordern zu dürfen. Man sah der Frau in ihrem changierenden Latzanzug nicht an, daß sie für die Auszehrung der Germanistik — einer ohnedies an Auszehrung und Schwund krankenden Disziplin — verantwortlich war, und wenn sie nicht selbst schamlos über ihre Eskapaden in allen Einzelheiten berichtet hätte, man hätte sie für eine ganz und gar unliterarische Hausfrau halten können. Aber kaum hatte ich ihr widerstandslos meine letzte

Flasche Mineralwasser, drei Zigaretten und einen Kanten Brot übergeben, beschrieb sie mir mit gespielter Empörung, daß der zur Zeit bei ihr beschäftigte Germanist — aus Göttingen! —, ein verhärmtes Männchen mit einer summa cum laude-Arbeit über den Melancholiebegriff bei den deutschen Lyrikern des Spätmittelalters im Vergleich zur Krise des enthusiastischen Künstlertums in der frühen Romantik, daß dieser Zickendraht, wie sie sich ausdrückte — ein Wort, das ich mir merken wollte —, sich mit blutunterlaufenen Augen und hechelndem Atem ihr genähert, sie an sich gerissen und im Ansichreißen sie mehr oder weniger entkleidet hatte. Und schon demonstrierte sie mir, wie leicht es sei, eine Frau im Latzanzug zu entkleiden, sehen Sie, rief sie plötzlich, so stand ich da, seine Hände — und damit nahm sie meine Hände — auf meiner Brust — und legte sie auf ihre Brust —, und weil ich dachte, der Mensch wird irrsinnig, weil alle Germanisten potentielle Irrsinnige sind, Geistesgestörte, die sich in Fußnoten stürzen, um ihren Irrsinn zu verbergen, gab ich mich zum Schein hin, genau so, wie es der Meister im letzten Kapitel von »Am anderen Ufer« beschrieben hat. Aber es kam nicht zum Äußersten, frühzeitige Ejakulation, wie so häufig zu beobachten bei Göttinger Germanisten, Beschämung, trostloser Anblick, Entschuldigung. Und so einer will Beamter auf Lebenszeit werden, sagte sie und ließ meine klatschnassen

Hände von ihren Brüsten fallen, nahm das Geborgte und trollte sich. Morgen wird die andere kommen, dachte ich, wie ich sie fortgehen sah, die Sekretärin, und Klage über die Konstanzer Germanisten führen, die aus trockenster Anschauung und nicht aus Not Theorien bilden, ein Haufen Makulatur. Unappetitlich, dachte ich, widerlich. Literatur darf keinen Autor haben, auf keinen Fall aber dürfen Witwen und Geliebte das Verfügungsrecht über Nachlässe haben, nicht einmal über Nachlässe von drittklassigen Autoren. Ich ging zurück in den Schuppen, holte mein Manuskript hervor und entnahm ihm alle Stellen, soweit ich sie finden konnte, die mit dem Schriftsteller als geistigem Vater meines Helden etwas zu tun hatten, und zerriß sie in kleinste Stücke. Etwa vierzig Seiten mußte ich opfern, um jede Erinnerung an meine Nachbarn zu tilgen. Schmaler sah der Manuskriptberg nun aus, deutlich zusammengeschrumpft, entkernt: aber es mußte sein, die Schürfung war notwendig, um die Form des Ganzen deutlicher hervortreten zu lassen.

4

Einmal bei der Arbeit, wollte ich auch gleich die Anschlüsse korrigieren, um dem Helden keine Brüche zuzumuten. Aber die unangenehme Tätigkeit, einem vergleichsweise Fremden, der aus einem hervorgewachsen war, ohne daß man dieses Wachstum durch Erfahrung hätte steuern können, diesem Fremden die Biographie umzuschreiben, kam mir nun, nach dessen Tod, noch verwerflicher vor als vorher. Die Worte weigerten sich, gefügig zu sein, sie kapselten sich ein, zogen sich zurück, zeigten keinerlei Interesse an mir und meinem Manuskript. Das rhythmische Gesetz, nach dem ich sie gliedern wollte, ähnelte einem ausgeleierten Pochen, jede Schmiegsamkeit war dahin. Aber diese Ungefügigkeit war nicht alles. Denn nun, bei der Retouche, zeigte auch mein Held Anzeichen dafür, wie verbraucht, entwertet, flau er mit der Zeit seiner Entstehung, des Schreibens geworden war. Die ätzende Einsamkeit, die er als Kontrast so liebte, entpuppte sich als hilflose erzählerische Maske, seine soziale Empfänglichkeit, die ich so sorgsam ausgetüftelt hatte, um ihn von anderen literarischen Gestalten abzugrenzen, konnte seinen ironischen Hang zur Boshaftigkeit nicht mehr aufwiegen, die Heils- und Segenswörter, die sonst seinen Mangel an Indiskretion ausgleichen konnten, verwandelten sich in kalte, wurzellose Herzlichkeiten. Nach einer guten Stunde hatte ich dreißig weitere Seiten geopfert, um dem Todgeweihten wenigstens einen totalen Umschlag seiner Existenz zu ersparen. Zehn Prozent des Manuskripts waren im Handumdrehen verloren.

In diesem Moment des Verlusts spürte ich den dringenden Wunsch, aus Gründen der Klarheit noch weitere Striche anzubringen. Der Mensch wußte zu viel. Selbst für einen Entwicklungsroman, der ja allerhand Stoff vertragen kann, war das Buch zu überfrachtet mit Wissen. Ich wollte den Helden einfacher darstellen, mit mehr Neugier ausstatten, dafür an den Exkursen sparen, in denen er seine Unerschöpflichkeit austoben konnte. Wer alles weiß, wird uninteressant für den Leser; wer alles weiß, so belehrte mich mein Held, wird gleichgültig gegenüber den Phänomenen. Wer alles erklären kann, gilt als Besserwisser: und nichts ist gefährlicher und moralisch verwerflicher als Besserwisserei. Aber der Vorsatz war leichter als die Umsetzung: je länger ich darüber nachdachte, warum die Indiskretion des Wissens sich in meinem Manuskript einen derart beherrschenden Raum erobert hatte, desto schwerer fiel es mir, vernünftige Striche anzubringen, so daß ich, um überhaupt an ein Ende zu kommen, ganze Passagen entfernte, die, zusammengerechnet, etwa achtzig Manuskriptseiten ausmachten, die Arbeit fast eines Jahres, wie ich bedrückt feststellen mußte, als die Papierschnitzel wie muntere Schneeflocken in den Mülleimer fielen. Denn keinesfalls wollte ich die ausgesonderten Teile aufbewahren, um sie als selbständige Novellen zu veröffentlichen, eine Praxis, die ich bei anderen Autoren stets als verwerflich empfunden hatte. Wieviel hat ein Mensch zu sagen? Es sollte ein Roman werden, mein Roman, der letzte Roman, wenn möglich.

5

Neun Jahre Schreibarbeit, die Vorarbeiten nicht gerechnet, hatte ich meinem Buch gewidmet, jeden Tag meine in Zuneigung und Haß gehärteten Sätze formuliert und sie entweder direkt dem Manuskript hinzugefügt oder über den Umweg der Kladden, neun Jahre hatte ich das Gebirge aus Worten, jene Landschaft mit singenden Bäumen, mit Sonne, Mond und Jahreszeiten, mit sich kreuzenden Wegen und sich abstoßenden Blicken geformt, die mein Held, der gierige Zeitgenosse, der Unersättliche, auf seiner rastlosen Suche durcheilt, achthundert Seiten lang von der Frage gepeinigt, ob er auf dem richtigen Weg sei, Herr über den Sinn, Herr der Sinne zu werden oder schon in der Irre des Zeitgenössischen sich verlaufen habe, im Abseits und Dunkel, wo das Leben keine Wurzeln mehr faßt und die Gestirne weisender sind als der Mensch, von wo aus eine Rückkehr, ein neuer Anfang unmöglich wären. Ich hatte ihn »fressen« lassen, was ihm im Weg stand, Menschen, Ideen, politische Programme und ästhetische Manifeste, hatte seine Niederlagen und sein triumphales Glücksgefühl protokolliert, seine Leidenschaft für das Neue, das er in sich hineinschlang, verdaute und wieder ausschied, um Platz zu machen für wieder Neues, hatte den Strom der Wörter kanalisiert, der sich über die Seiten ergoß, und ihn, wenn er zu versiegen drohte, mit neuem Material angereichert. Das Neue, diese edelste und giftigste Nahrung, die das Jahrhundert auf den wackligen Tisch der Zeit gezaubert, von der alle hastig sich bedient hatten bis zum Erbrechen und immer weiter sich bedienten, dieses Neue hatte mein Held sich auf der Zunge zergehen lassen und in rohen Brocken geschluckt, die neue Frau und die neue Ästhetik, die neue Qualität der Politik und die neue Malerei, das neue Körperbewußtsein und die neuen Medien, den ganzen Plunder des Neuen hatte er aufgenommen, beleckt, zerrissen und zerkaut, und am Ende dieser pantagruelischen Nahrungsaufnahme, etwa vierzig Jahre alt und nicht wirklich verzweifelt, eher heiter den Schmerz beredend als von dem Willen beherrscht, ihn zu besiegen, macht er einen Punkt. Mit trübsinniger Folgerichtigkeit hatte er seine unermüdliche Gier auf das Leben als eine Projektion seiner Einsamkeit erkannt, und es sollte ihm nicht mehr gegeben sein, auch noch diese Erkenntnis im Schmelztiegel seiner Neugier in neue Energie umzuwandeln. Keine Rede mehr. Kein Sterbenswörtchen. Nichts Neues. Aus.

Ich merkte, ich mußte mich an den Gedanken seines Endes erst gewöhnen. Wer neun Jahre lang — außer nebensächlichen Begegnungen — nur eine Hauptperson kennt, die zum allesbeherrschenden Dämon seines Lebens wird, zum

Spiegel, der mehr wiedergibt, als man zu zeigen bereit war, der hat nicht nur unter Entzugs- und Verlustängsten zu leiden, unter ruinösen Zwangsvorstellungen, die den Rest des Seins zerfressen; der befindet sich schon auf der Beobachtungsstation und wird nach aller Regel auch eingewiesen. Andere haben Familie, einen Beruf, treffen sich mit Freunden am Stammtisch oder bei literarischen Seancen oder kegeln und haben ihr Leben insgesamt so eingerichtet, daß gedeihliche Beziehungen zwischen Leib und Seele bestehen, ich dagegen hatte nur ihn, eine Person auf dem Papier, deren Exzentrik und Exaltiertheit ich liebte und die mir gleichzeitig auf den Geist ging. Das war nun vorbei.

Mir fiel die Zeit ein, als ich bei etwa Seite 500 angekommen war. Schon damals wollte ich abbrechen, Schluß machen. Alle Gewalt der Verführung, die ich in mir zu sammeln wußte, reichte nicht aus, den Bleistift wieder in die Hand zu nehmen, alles Entzücken, das mir das Schreiben sonst bot, war einer lähmenden Langeweile gewichen. Statt zu arbeiten, schwamm ich auf den See hinaus, bummelte mürrisch durch den Wald oder hockte im Gasthaus. Dort traf ich eines Tages eine Frau, die sich rühmen darf, mich wieder an den Schreibtisch getrieben zu haben. Die zynische Selbstgefälligkeit, mit der sie über Werke der Kunst sich zu verbreiten wußte, um im Schatten solcher Äußerungen das Leben zu preisen, das nackte Leben, brachte mich so auf, daß ich gar nicht anders konnte, als mich wieder für meine einsame Arbeit zu entscheiden. Die Frau absolvierte im Nebenort eine Frischzellenkur. Ihr Gatte war ein Brillenhersteller mit sadomasochistischen Neigungen, wie sie sich ausdrückte, der froh war, sie gelegentlich aus dem Haus zu haben, weil seine ungewöhnlichen Sexualpraktiken großräumige Spielräume benötigten, die durch die Anwesenheit einer mehr oder weniger Unbeteiligten an Glanz zu verlieren drohten. Es ging um nichts Geringeres als um eine momentane, vorübergehende Strangulation mittels eines Seiles, von der sich der Gatte eine Erektion mit Erguß erhoffte, wenn auch selten erzielte, da bei dem künstlich herbeigeführten Erstickungsvorgang ein vorzeitiger reflektorischer Herzstillstand zu befürchten war, der ihm oft genug knapp vor Erreichung der Erektion zum Abblasen der Aktion Anlaß gab. Die Strangulation mußte demzufolge mehrere Male wiederholt werden, wodurch sich dem Mann eine maskenhafte Mimik einprägte, die, wie die Frau sich ausdrückte, eine Frischzellenkur ihrerseits unaufschiebbar werden ließ: er war nicht mehr anzuschauen. Eine Kirche, die zum Schafstall wird. Die Frau interessierte sich für die bildenden Künste, und ein Ergebnis der Scham ihres Gatten über seine Veranlagung war eine recht ordentliche Bildersammlung, die sie Stück für Stück nach den Strangulationsabbrüchen an ihre Wände gebracht hatte. So ging jeder seinem

Hobby nach und warf dem anderen vor, zuviel Geld auszugeben, obwohl beide wußten, daß der Gatte allein aus Gründen der Sorgfaltspflicht weit höhere Summen für das verschwiegene Personal auswerfen mußte, als jemals ein bildender Künstler für seine Handzeichnungen erwarten durfte. Wir normalen Sterblichen können hinter den Busch gehen, und nach zehn Minuten ist alles erledigt, was die Natur uns abverlangt, rief sie mir über der Roulade zu, die in diesem Gasthaus nicht mit Gurken gereicht wurde, wie ich es von meiner Großmutter her gewohnt war, Hans dagegen braucht außer drei Assistentinnen mit Spezialkleidung mehrere medizinische Instrumente, von Schweigegeldern ganz abgesehen, die in keinem Verhältnis zu dem gewünschten Effekt stehen, wenn man im Falle des Hans überhaupt von einem Effekt sprechen durfte. So ging ihre Rede munter fort, mit der sie mich in der leichtsinnigsten Weise über die tiefste Verworfenheit unterrichtete, ohne Gewissensbiß, ohne Scham ein Verhalten ausbreitete und erklärte, das ihr offenbar nichts Tadelnswertes zu enthalten schien, wie ich überhaupt annehmen durfte, daß ihr jedes Zartgefühl in sittlicher Hinsicht abging.

So war es nur folgerichtig, daß sie mich nach dem Verzehr unseres Essens darum bat, mein Haus und das Manuskript, von dem ich auf ihre Fragen hin erzählt hatte, sehen zu dürfen, eine Bitte, die einer Forderung glich und kaum abzulehnen war, da ich der Wollust dieses Begehrens nichts als Kleinmütigkeit entgegenzuhalten hatte. Wir gingen also in der Dunkelheit Arm in Arm zu meiner Klause, und noch vor dem Holzschuppen zog sie mich an ihre Brust, zwang mich zu Boden und befriedigte sich, nicht ohne unablässig darüber zu sprechen, daß nur auf diesem Wege eine Rückkehr ins Paradies möglich sei. Ich war gewiß anderer Ansicht, aber nicht fähig, in der mir aufgezwungenen Unterlage zu protestieren, einer Lage übrigens, die meinem vom Schreiben strapazierten Rücken selbst dann nicht gutgetan hätte, wenn ich die Handlungen, die an mir verübt wurden, mit Wohlwollen verfolgt haben würde. Nach Vollzug schleifte sie mich an den See, wo wir uns gegenseitig waschen mußten, dann befahl sie mich ins Haus, in dem sie sich sofort auf die Couch plazierte und mich aufforderte, ihr mein Manuskript vorzulesen. Lesen Sie das letzte Kapitel, befahl sie, das langt für den ersten Eindruck. Nun handelte es sich bei diesem letzten Stück damals um eine längere Auslassung über die Sünde, das heißt es wurde die Frage diskutiert, ob sündhaftes Verhalten in unserer Gesellschaft überhaupt noch existierte, eine delikate Frage, die ich in einen Dialog des Helden mit einer der Prostitution nachgehenden Frau untergebracht hatte, ein zentrales Kapitel nebenbei für die Darstellung der moralisch-sittlichen Verfassung meines Helden. Während ich also, meine Prosa lesend, die Hölle ausschritt und das Böse in allen Ecken aufstöberte, in denen es sich versteckt hatte, während ich der ruhelosen Seele nachspürte, die immer weitere Kreise des Abartigen durcheilte, schlief meine sonderbare Freundin ein. Ein fiependes Schnarchen war zu hören, als ich bei der mir wichtigen Passage angelangt war, wo ich das Elend des Menschen als seine eigentliche Größe pries, so daß ich mitten im Satz abzubrechen gezwungen war, um die Wirkung meiner Ideen zum Humanismus in seiner extremen Gestalt zu bedenken. Damals, so erinnerte ich mich jetzt überdeutlich, wollte ich den Schlaf der Gierigen nur auf die nachlassende Wirkung der Frischzellenkur beziehen, nun aber befiel mich plötzlich die Angst, das prompte Entgleiten könnte mit meinen Ausflügen in die Sphäre der Entweihung zu tun gehabt haben. Also begann ich, in dem Packen Papier das betreffende Kapitel zu suchen, das ich schließlich auch fand und noch einmal sorgfältig durchlas. Es ekelte mich an. Mit Entsetzen las ich die ausschweifende Passage über Elend und Entblößung, über die Ethik der Sünde, die ich mit Pathos entwickelt hatte und die darauf hinauslief, daß nur der, der fähig ist, ihre Gesetze anzuerkennen, eine Chance hat, sich selber ähnlich zu werden. Mit Widerwillen las ich mir laut die Antworten der Prostituierten vor, die in naiver Schlauheit zu dem Schluß kam, daß nur sie allein ein wahrer Mensch sein könne, wenn sie die Ausführungen meines Helden richtig ver-

standen habe. Der Außenseiter allein, las ich, ist mit sich selbst identisch, weil nur er weiß, wie einzig er in dieser nichtidentischen Welt ist. Die Selbstherrlichkeit, mit der dieses Luder meinen Helden verwirrte und davon abhielt, seine Vision der Hölle zum wahren Leben zu erwecken, empörte mich derart, daß ich augenblicklich beschloß, das ganze Kapitel zu zerstören. Vierzig Seiten entzog ich dem Manuskript, erleichtert, und zerriß sie in immer kleinere Schnipsel, bis mein Verlangen nach Auslöschung gestillt war.
Diese weitere spontane Kürzung meiner Arbeit versetzte mich in einen freudigen Taumel, der sogar die aufkommende Erinnerung an die Nacht mit der schlafenden Frau in Grenzen hielt: denn kaum hatte ich damals mit der Lesung des Sünde-Kapitels ausgesetzt, war die Frau wieder aufgewacht und hatte den Befehl gegeben, mich zu ihr zu legen und Taten zu vollbringen, die den im Manuskript erörterten an Sündhaftigkeit haushoch überlegen waren. Ich hatte mich redlich bemüht, den Anweisungen Folge zu leisten, obwohl sie jede Leidenschaft, die aufzukommen sich anschickte, im Keim erstickten, und irgendwann war ich gezwungen gewesen, die Veranstaltung abzubrechen, weil die Körperfiguren, zu denen ich ermuntert wurde, einen Dauerschaden meines ohnedies verdrehten Rükkens befürchten ließen. Unsinn, hatte ich gerufen, grober Unsinn, geben Sie sofort mein Geschlecht zurück, das mit einem feuchten Plop

tatsächlich aus seiner mißlichen Lage befreit wurde, wobei mir bis heute nicht deutlich vor Augen steht, aus welcher Verankerung seine Entlassung bewerkstelligt worden war. Die Frau ging, ich schrieb weiter, schrieb wie im Rausch die folgenden zweiundvierzig Kapitel meines Werkes, das die nun fehlenden Seiten leicht entbehren konnte. Und mit heiterer Zufriedenheit nach diesem erlaubten Vandalismus machte ich mich endlich auf den Weg ins Dorf.

6

Über dem Westufer ging tiefrot die Sonne unter, im Süden, über der Seespitze, sah es nach einem Gewitter aus, das, sollte es sich entladen, sicher auch mein Ufer erreichen würde. Ein Wind war schon zu spüren, als ich den Hang hinter dem Haus emporstieg und über die Wiese trottete, auf der die Jungkühe närrische Bocksprünge übten und plötzlich glotzend stehenblieben, um den späten Gast mit schräggestelltem Kopf zu mustern. Eine Färse ähnelte mit ihrem taumelnden Gang und mit einem muskelschwachen Augenlid (rechts) einem angeblichen Philosophen, dem ich vor Jahren einmal in Lindos begegnet war. Ich mußte lachen, als ich mich plötzlich dieser Episode erinnerte, die lange in einem staubigen Winkel meines Gedächtnisses geruht hatte, ohne auch nur einen Mucks von sich zu geben, nicht einmal zu der Zeit, als ich an den erkenntnistheoretischen Kapiteln meines Buches arbeitete, die durchaus etwas Komik hätten vertragen können. Wahrscheinlich muß ich sie ganz neu schreiben, sagte ich laut vor mich hin, und dann soll auch mein Namensvetter eine kleine Rolle spielen, ein Stichwort geben dürfen bei der breit ausgemalten Podiumsdiskussion über die Frage: »Brauchen wir eine neue Ethik?«, die im Zentrum des Kapitels stand und mit dem zweifelhaften Programm einer planetaren Makroethik abschloß, die den Übergang von der konventionellen zur post-konventionellen Moral kennzeichnen sollte, einem Programm übrigens, das die Adoleszenzkrise der Menschheit, die sich einfach nicht so verhielt, wie die Philosophen es wollten, zum Ausdruck bringen sollte. Kein Mensch, so mein Held bei der geschilderten Podiumsdiskussion, hält sich an Normenlegitimationen, wenn sie ihm nicht einen Vorteil bringen, nicht einmal Philosophen, schon gar nicht solche, die gerne länger reden, als ihnen und ihren Ideen guttut. Und dann haben wieder die Vertreter des Historismus-Hermeneutizismus das Wort.

Der Philosoph von Lindos, an den ich beim Anblick der freundlichen Kuh denken mußte, hörte auf denselben Vornamen wie ich, wir benutzten beide das Kaffeehaus von Sokrates als Schreibstube und sprangen stets gemeinsam auf, wenn der Wirt unseren Namen durch den Raum brüllte, weil einer von uns beiden am Telefon verlangt würde. Es war immer er, der sprechen durfte, ich erhielt nie einen Anruf, übrigens auch nie einen Brief. Dafür durfte ich dann fast täglich beobachten, wie der Philosoph siegesgewiß an seinen Tisch zurückkehrte, ein paar Münzen neben die Kaffeetasse warf, seine Papiere an sich nahm und verschwand. Einmal war ich früher als er im Café, als unser Name ausgerufen wurde. Es war

Ina, die im Nachbardorf das Haus eines deutschen Regisseurs hütete und offenbar das Bedürfnis nach philosophischer Unterweisung verspürte. Ich hatte mehrere Gespräche zwischen ihr und dem Philosophen vom Nebentisch aus mitgehört und aufgeschrieben, weil sie in lexikalischer Hinsicht interessant waren: einige der gefallenen Worte sind als schillernde Prachtstücke in das Kapitel über Pornographie und Gewalt meines Romans eingegangen. Ina nahm meine einsilbige Morgenstimme für die des Philosophen und lud mich zum Frühstück ein, flüsterte aber diese an sich harmlose Aufforderung so sonderbar verhuscht in die Muschel, daß in meiner vom langen Alleinsein leicht reizbaren Phantasie die schönsten Utopien zu wuchern begannen. Als ich das Café verließ, um mich auf den Weg durch die faule Trägheit der Landschaft zu machen, betrat es gerade der Philosoph, so daß wir einander für ein paar Sekunden Auge in Auge gegenüberstanden. Die ganze Nacht gearbeitet, brummte er, Fichte, immer nur Fichte, und das bei dieser Hitze. Fichte wäre auf dieser Insel nie der geworden, der er in Berlin geworden ist, so seine Meinung, was ein düsteres Licht auf die zu erwartende Publikation meines Vornamensvetters warf. Anrufe, fragte er noch, aber ich war schon im gleißenden Licht der Frühe untergetaucht.
Ina war verwundert, einen Nicht-Philosophen begrüßen zu müssen, aber nicht abgeneigt, mich

zu empfangen, da sie dringend einer Hilfe zur Wässerung der Pflanzen bedurfte, die matt und staubig sich unter der Sonne bogen. Ina war Biologin und mit einer Diplomarbeit über das Linnésche System befaßt, das sie endgültig zu widerlegen und aus den Angeln zu heben beabsichtigte. Ich nickte besorgt, schwieg aber hartnäckig, um ihren Redefluß nicht zu bremsen, den ich mir unbedingt merken wollte für mein Kapitel über die Ziellosigkeit der wissenschaftlichen Rede. Offenbar wurde an deutschen Universitäten immer noch das Widerlegen geübt, und zwar das systematische Widerlegen von Systemen, über deren Stichhaltigkeit schon Generationen anderer Forscher grau geworden waren. Wie sehr gerade Ina sich berufen fühlen durfte, Linné aus den Angeln zu heben, wurde daran deutlich, daß sie beim gemeinsamen Wässern des Gartens nicht eine Pflanze zu bestimmen wußte, ja, sie war nicht einmal in der Lage, sich in die Nähe einer Bestimmung vorzuarbeiten. Barbusig stand sie neben mir, die Brille auf der knochigen Nase, und hielt fassungslos ein welkes Blatt des Gemeinen Knöterich zwischen den Fingern — aber kein Wort kam aus ihrem Mund. Was das nun wieder ist, hörte ich endlich, noch nie gesehen, und schon steckte sie Blatt für Blatt in ihren Tanga, für später, zum Bestimmen. Das Frühstück bestand aus einer Tasse Kaffee und einer Tomate, aus Blicken auf die Blätter, die faul über den Rand der Badebekleidung hingen, und aus einer nichtssagenden Unterhaltung über Selbstrelativierung in komplexen Systemen, die ziemlich einseitig von mir bestritten wurde. Aber die Tomate war köstlich, und die Anwesenheit der fast nackten Biologin konnte den Geschmack nicht wesentlich beeinträchtigen. Wie nebenbei erörterte ich die aktuellen Aspekte von Fichtes Wissenschaftslehre, um einerseits die theoretische Belastbarkeit meines Gegenübers zu testen, andererseits den Einfluß des Philosophen, dessen Vorarbeit aber, wie sich herausstellte, gering zu veranschlagen war. Denn plötzlich murmelte die Braungebrannte, dieser Fichte wäre in diesem Klima sicherlich nicht der geworden, der er in Königsberg geworden ist, jedenfalls nicht Ordinarius oder höchstens B 2. Und mit diesem Satz ließ sie sich auf einer Liege nieder, löste die Schleife ihres Tanga und pulte all die schlappen Blätter von ihrem Bauch, die nur zum Teil und nur mit meiner tätigen Mithilfe sich lösen ließen. Weil die Unterhaltung zwischen einem Sitzenden und einer Liegenden, einem sitzenden Skeptiker und einer liegenden Widerlegerin, bei voller Sonnenbestrahlung eine ernsthafte theoretische Tiefe nicht erreichen kann, legte ich mich neben Ina auf die Liege und schlief irgendwann auf ihr ein. Ich erwachte durch die Hand des Philosophen, die leicht meine Schulter tätschelte, rollte mich vorsichtig ab, um die Schläferin nicht zu wecken, und verschwand mit dem Fichteaner in die kühle Küche, wo wir bis zum Nachmittag

die durchaus trinkbaren Weine des Regisseurs genossen. So begann unsere flüchtige Freundschaft, die wir mit nie nachlassender Gleichgültigkeit den Sommer über aufrechterhalten konnten. Er wurde später Ordinarius für Philosophie an einer Pädagogischen Hochschule im Südwesten, und wenn er auch nie ein Buch publiziert hat, so konnte man ihn doch hin und wieder im Fernsehen beobachten, wo er zu ethischen Problemen der Arbeitslosigkeit befragt wurde und zu Fragen der Abtreibung Stellung nahm. Unsere magere Korrespondenz — meistens Urlaubsgrüße — versandete, nachdem seine Amtsenthebung notwendig geworden war, weil er Promotionen aus Qualitätsgründen nur dann noch gestattete, wenn sie mit Eigentumswohnungen beglichen wurden. Als Hausbesitzer und Philosoph verschrieb er sich immer mehr der Politik und verkam schließlich zum Staatssekretär für Bildungswesen irgendwo im Südosten. Aber nicht für seine durch und durch mißglückten Verirrungen über Kultur und Moral bin ich ihm dankbar, sondern dafür, daß er mir in seiner düster-frivolen Art die Augen über das Streben der Philosophen öffnete, die nach seiner Meinung allesamt kein Erkenntnisziel mehr hätten: die Philosophen sind das Gegenstück zur Philosophie in des Wortes schwermütigster Bedeutung, so einer seiner Schlußsätze im »Sokrates«, wenn ihn die Frauen telefonisch abberiefen.
Unter dem Eindruck des Gesprächs mit diesem

Gelehrten in der Küche des deutschen Regisseurs, in unmittelbarer Nachbarschaft der in der Sonne röstenden Biologin, entwarf ich später eine Szene des Romans, in der ein Philosoph nach dem Ende eines Philosophen-Kongresses das Ende seiner Disziplin verkündete. Und zwar nicht vor dem Plenum, wo ja ohnedies auf vielfältige Weise des verschwundenen, pulverisierten Menschen gedacht wurde in bewegten oder zynischen Nachrufen, so als wäre man nicht sicher, ob sein Abtreten jubelnd zu begrüßen wäre oder längst schon erwartet worden war, also auch nicht in der den meisten Philosophen eigenen Umgangssprache, die mit Philosophie wenig gemein hat, sondern nach dem Kongreß, beim festlichen Abschlußdinner, an dem auch die Philosophenfrauen teilnehmen durften und wo in der Hauptsache Fragen der philosophischen Karriere, Besoldungsprobleme und Urlaubsziele, die mit neuerlichen Philosophenkongressen gekoppelt werden konnten, dem Gespräch die Würze gaben. Bei dieser günstigen Gelegenheit mußte der Philosoph in meinem Roman, ein Schulfreund meines Helden, die sogenannte Frauenrede halten, in der er zum großen Entsetzen der Zunft das Ende der Philosophie einerseits, das Ende seiner eigenen universitären Karriere andererseits verkündete, über die Frauen aber, wie eigentlich erwartet, kein Wort verlor. Ich hatte ein sehr schönes Szenario für die Aktivitäten nach der Rede entworfen, wie nämlich die Sprachphi-

losophen sich zynisch feixend an die Champagnerbar stellen und sich triumphierend zuprosten, weil sie dieses Ende schon immer vorausgesagt hatten, wie die letzten Hegelianer dagegen den Redner umringen und zur Umkehr bewegen wollen, um das Fach nicht vollständig in den Machtbereich der Modernen Apokalyptiker fallen zu lassen, die zum Teil im Porsche angereist waren, zum Ärger der VW-Passat und Opel bevorzugenden Hegelianer, und wie schließlich ein volltrunkener französischer Philosoph lateinamerikanischer Abstammung, den alle für einen Kellner gehalten hatten, das Mikrofon ergreift und mehrere Male hintereinander in den Saal schreit: Das Ende der Philosophie ist ihr Anfang!, woraufhin die Hegelianer beschließen, diesen Ausruf zum Motto des nächsten Philosophenkongresses zu küren.
All das fiel mir ein, wie ich da im letzten Abenddämmer auf der Wiese stand und die liebe Kuh mit dem hängenden rechten Augenlid betrachtete. Und ich beschloß, all die Befreiungs- und Erlösungssehnsucht, die ich trotz allem mit der abendländischen Philosophie verband, aus meinem Manuskript zu tilgen. Ich ging also wieder zurück ins Haus, holte mein Werk unter die Lampe und entnahm ihm erleichtert große Teile des elften und das gesamte zwölfte Kapitel, fast dreißig Seiten, die ich nicht ohne innere Erregung in einem alten Gurkeneimer verbrannte.

7

Es war schon fast dunkel, als ich wieder vor den Kühen stand, die immer noch seelenruhig die Gräser zupften. Oft kamen die Tiere den Hang herunter bis zu meinem Zaun und streckten ihre wuscheligen Köpfe durch den Stacheldraht, weil ihnen aus irgendeinem Grund die Gräser meines Gartens besonders gut schmeckten, und manchmal mußte ich aufstehen und ihnen das Unkraut ausreißen und hinüberwerfen, weil ich den Anblick der ausgestreckten Köpfe zwischen dem Stacheldraht nicht ertragen konnte. Hier, das ist auch nur Futter, rief ich ihnen zu, wenn sie zunächst zurückwichen und dann, überwältigt von meinem Angebot, zart schnaubend die Halme aufnahmen. Weil diese freundlichen Tiere oft tagelang mein einziger Umgang waren, hoffte ich manchmal ernstlich auf ein gemuhtes »Danke«, auch wenn ich mich für solche Hoffnungen schämte — denn wenn es mit rechten Dingen zuginge auf der Welt, hätte ich mich für jede Dankbarkeit von ihrer Seite schämen müssen. So war ich schließlich schon stolz, wenn sie mir, durch den Stacheldraht hindurch, die Hände leckten, was ich, beglückt über diese rauhe Wohltat, nach Herzenslust interpretieren konnte. Wenn wir nicht alle von Darwin und seinen

Nachfolgern versaut worden wären, dachte ich oft in solchen Situationen, müßten wir die Naturgeschichte neu schreiben. Auch wenn alles zu spät ist und sich die Naturgeschichte nur noch als mittelmäßiger Roman schreiben läßt, mit Abbildungen aus dem alten Buffon oder Brehm. Die Gegenwart ist unter dem Mikroskop nicht mehr erkennbar.

Natürlich kamen die Kühe in meinem Manuskript in verschiedenen Kapiteln vor, und während ich sie jetzt in der Natur beobachtete und sie mich, kam mir die Idee, in der Druckfassung alle Kuh-Stellen zu vereinigen zu einem triumphalen Denkmal, zu einer Apotheose der Kuh, wenn nicht sämtlicher Horntiere mit ihren unbeschreiblich schönen Flotzmäulern. Vielleicht fügen sich, ging es mir durch den Kopf, die kürzeren Erwähnungen von Kühen, besonders in den letzten beiden Kapiteln, nicht zu einer Gesamt-Ansicht der Kuh zusammen, wie sie mir jetzt vor Augen trat, und keinesfalls sollte beim Leser meines Werkes der Verdacht aufkommen dürfen, die Kuh würde nur eine untergeordnete Rolle im Weltbild meines Helden spielen. Wenn ich mich recht erinnerte, kam die erste Kuh in einem Kapitel vor, in dem der Held mit einem Freund in einem Gartenlokal speist und sich über Eifersucht unterhält, während die Frau, die beide zu lieben behaupten, zum Telefonhäuschen gegangen ist, etwa einen Kilometer entfernt. Sie wird, argwöhnen sie, einen dritten

Freund anrufen, den sie beide nicht kennen, was ihrer zunächst theoretischen Diskussion, die bei der Unausrottbarkeit der Idee der Kleinfamilie anhob und sich wie zufällig das schlüpfrige Terrain der Eifersucht eroberte, eine praktische Dimension verleiht. Als die Freundin sich auf den Weg zum Telefon macht, muß sie wie in Zeitlupe sehr langsam hinter einer Kuhherde herlaufen, die straßenbreit den Weg besetzt hält und wahrscheinlich zum Melken in den Stall getrieben wird. Die Freundin bleibt dann so lange weg, zwanzig eng beschriebene Seiten lang, daß sie schließlich wieder hinter den inzwischen gemolkenen Kühen hergehen muß, die nun auf dem Rückweg zur Weide sind, und zwar so langsam, daß die beiden Freunde ausreichend Zeit haben, ihr verändertes Gesicht über die schwankenden Kühe hinweg in aller Ausführlichkeit zu analysieren und darüber in einen heftigen Streit zu geraten, der mit der sofortigen Abfahrt des Freundes und steigenden Hoffnungen des Helden endet. Ein Physiognomiker und ein der Psychoanalyse Verfallener wetzen die Klingen, zwei Weltanschauungen prallen aufeinander, eine alte Freundschaft zerbricht — so etwa ließe sich die Situation beschreiben, wie ich sie dargestellt hatte. Aber damit nicht genug. Um der an sich schon prallen Szene eine weitere Dynamisierung zu geben, vertritt der Held nach dem endgültigen Wiedereintreffen der Freundin die Argumente seines abwesenden Freundes, um seine Ansichten über Eifersucht darzustellen, weil er meint, daß seine eigenen Argumente in dieser Sache von der Freundin nicht geteilt werden, muß aber mit anhören, daß die Geliebte nun ihrerseits die von dem Helden dem Freund gegenüber vertretene Ansicht für die Notwendigkeit von Eifersucht als letzten Ausdruck von Leidenschaft (sich selbst und anderen gegenüber) für richtig hält. Da der Held zu stolz ist, den aus Angst vorgenommenen Ansichtenwechsel zuzugeben, muß er den Abgang auch der Geliebten hinnehmen, die sich mit einem langen Monolog verabschiedet und dem Freund hinterherläuft, der nun — aber das war ausgespart und sollte der Phantasie des Lesers überlassen bleiben — sein blaues Wunder erleben würde. Das Kapitel endet mit einer längeren Abhandlung über Maskenwahl und Probesprechen, über die Unfähigkeit der jüngeren Generation, sich versuchsweise eine fremde Argumentation zu eigen zu machen, um einem Problem die Wurzel zu ziehen, und weil ich damals dachte, ich hätte zuviel Theorie in das Kapitel eingeschrieben, ließ ich es mit einer Passage ausklingen, die dem Helden noch so manches Schöne einbringen sollte. Er sitzt also als der Verlassene an seinem Tisch und arbeitet wie in konventionellen Romanen gedanklich die erlittene Niederlage auf, als sich eine schöne Frau mit der Begründung zu ihm an den Tisch setzt, einer, der so fleißig schreibe, könne ihr nicht gefährlich werden. Wo eben noch die angebetete, aber verschwundene Geliebte gesessen hatte, sitzt nun beim Aufschauen eine herrliche keusche Frau, ein unverhoffter Tausch, der den Helden in euphorische Zustände versetzt und zu einer rhetorischen Meisterleistung anheben läßt, mit der er das Herz der Keuschen zum Schmelzen bringt. Sie verbringen die Nacht und noch drei weitere Kapitel miteinander, bis er ihr eines Tages die Tauschgeschichte entdeckt, woraufhin sie – vor Eifersucht bebend – sich erhebt und für immer in ein anderes Leben entschwindet.

Die ganze Handlung hatte ich in ihrer zu Herzen gehenden Alltäglichkeit selber einmal erlebt, und zwar genau in dem Gasthof, zu dem ich jetzt unterwegs war. Sie hatte ein unangenehmes Nachspiel. Eines Tages erhielt ich nämlich von eben dieser Frau, die in der Zwischenzeit den Programmdirektor einer privaten Fernsehstation geheiratet hatte – einen häßlichen, unbegabten Machtmenschen, der nach jedem von ihm verschuldeten Skandal befördert wurde und im Begriff stand, das gesamte öffentliche Fernsehsystem als Intendant seiner Dümmlichkeit anzugleichen –, einen Brief des Inhalts, daß sie mich verklagen werde, wenn ich unsere flüchtige Berührung, wie sie sich ausdrückte, und die ich als heftiges Begehren in Erinnerung hatte, in Form eines Buches in die Öffentlichkeit tragen würde. Immerhin hatte sie, die in Wahrheit alles andere als keusch und schön war, Respekt und

Angst vor der Literatur, eine Haltung, die schon lange nicht mehr gängig war in der Gesellschaft, wo Gleichgültigkeit die Szene beherrschte.
Mit dieser Geschichte, einer der wirklich komischen meines Manuskriptes, wollte ich ein bestimmtes Kommunikationsmodell sinnlich darstellen, das mir immer wieder aufgefallen war, nicht nur in der Politik, die grundsätzlich diesem Schema zu folgen schien, aber jetzt, angesichts der glotzenden Kühe, war ich mir nicht mehr so sicher, ob der Leser hinter der drastischen Komik der dargestellten Szenen das prinzipielle Modell erkennen würde. Entweder müßte ich auch dieses Kapitel opfern oder drei Kapitel zusammenfassen und pointieren, wodurch ich im ersten Fall etwa vierzig Seiten, im zweiten bis zu fünfzig Seiten verlieren würde. Trotz der einfallenden Dunkelheit setzte ich mich auf die Wiese und machte, von Insekten umschwärmt, erste Notizen, nicht zuletzt deshalb, um die gute Idee der Zusammenlegung der Kuhstellen zu einem definitiven Kuhkapitel zu skizzieren. Besonders ein Insekt, das ich nicht einmal bei Fabre hatte finden können, fesselte schon seit langem mein Interesse: ein punktgroßes schwarzes Wesen, das gleichsam vom Himmel fiel, ohne Ankündigung zustach und sich wieder entfernte, ohne daß man Flugbewegungen ausmachen konnte. Auch darüber machte ich einige Eintragungen, weil diese den Überfall bevorzugenden Tiere, die aus dem Nichts zu kommen scheinen und im Nim-

merwiedersehen verschwinden, an einer bestimmten Stelle des Manuskripts sehr gut eine Theorie des Helden illustrieren konnten, die mir in der Erinnerung stets zu farblos vorgekommen war.

Von der Kuppe des Hügels aus sah man das Dorf, etwa zwanzig Häuser, die sich wie frierend um den Marktplatz drängelten, eingerahmt von Höfen. Milchwirtschaft, wie hier überall üblich, dazu ein wenig Tourismus, Ferien auf dem Bauernhof, damit die Kinder das Huhn ansehen konnten, bevor es federlos auf den Teller kam. Kein Pferd weit und breit, kein Schwein, keine Gans, nur Kühe und Hühner. Kein Getreide, keine Kartoffeln und Rüben, nur Gras und Klee und Wiesenblumen, die auf dem üppigen Boden wucherten. Über den Hügelkamm führte ein Wanderweg, bestückt mit Bänken, die entweder von der Gemeinde oder von namentlich genannten Spendern aufgestellt worden waren. Ich setzte mich und blickte auf den eindunkelnden See hinunter, auf dem sich jetzt Schaumkronen gebildet hatten, untrügliche Zeichen für das nahende Gewitter. Die hohen Uferbäume schoben sich in das Wasser hinein, so daß die Trennlinie nicht mehr auszumachen war, die See und Ufer auseinanderhielt.

Wie oft hatte ich hier gesessen und mir Notizen über den See gemacht. Selbst das Material, das ich für die große Seereise von Italien nach Griechenland und in die Türkei verwendet hatte, auf der der Held zur Besinnung kommt, war, wenn vom Wasser die Rede ist — und es ist unablässig vom Wasser die Rede —, diesem See abgelauscht, der jetzt vor meinen Augen zu kochen begann. Der Wind bog das Bäumchen neben der Bank und schüttete unten die Wellen auf, die Kühe fingen an ängstlich zu blöken, während einige mutige Vögel laut zwitschernd mit dem Wind an mir vorbeisausten. Eine wunderliche Szenerie, die in mir, obwohl sie zu diesem See gehörte und mir bestens vertraut war, ein Glücksgefühl aufkommen ließ, das ich mit keinem anderen vergleichen konnte. Von Gewittern umlagert, so hieß ein Kapitel in meinem Buch, das mir nun, da ich wieder von diesen Gewittern umlagert war wie von wilden Tieren, kümmerlich zu sein schien in dem Versuch, die innere Verfassung eines Menschen ins Verhältnis zu setzen mit dem Wetter. Andererseits empfing mein Leben (und das Leben meines Helden), das ich hier draußen lebte, von der Natur die stärksten Impulse, nicht von den Menschen, die sich gelegentlich verdüsternd vor meinen Horizont schoben, und ein Gewitter war weit eher als ein Gespräch dazu geeignet, die dünne Grenze zwischen Innen- und Außenwelt transparent zu machen. Der Blitz schlug nun wie ein Axthieb ein, Rinnsale schossen zischelnd durch das Gras, der Weg den Abhang hinunter glich plötzlich einem braunen blasigen Fluß, den ich mehrfach überspringen mußte, um noch mit halbwegs trockenen Füßen ins Wirtshaus zu kommen. Und dennoch war dieses Gehüpfe, dieses Geschlenker mit den Armen ein weitaus stärker belebendes Element für meine Gedanken als die Vorstellung, in kürzester Zeit in der Kneipe zu hocken. Ich war schon bis auf die Haut durchnäßt und fror, da standen plötzlich die Häuser vor mir, von Nebel- und Regenschwaden eingehüllt, von einer eigentümlichen Helligkeit umgeben, die nicht von den erleuchteten Fenstern auszugehen schien, sondern als würden sie von den letzten Sonnenstrahlen widerscheinen. Solche Phänomene hatte ich in dieser Gegend schon oft beobachtet und auch verwertet, so gut ich sie beschreiben konnte. Bei den Naturschilderungen hatte ich versucht, den Eindruck rein wiederzugeben, ohne Vergleich, glanzlos gewissermaßen, um ihm seine unauslotbare Würde zu lassen, aber immer dann, wenn ich mich an die Einzelheiten der Niederschrift erinnerte, daran, wie ich versucht hatte, hundertmal versucht hatte, den Regen aufs Papier zu bringen, das Geräusch zu beschreiben, das Licht über den sich plötzlich dunkler färbenden Feldern, war ich verzweifelt über die tatsächliche Realisierung, über die armen Worte, die sich zu langen Perioden zusammentun mußten, um das Einfachste zu fassen.

Nie in den vergangenen neun Jahren hatte ich Muße und Zeit gehabt, die mehr als achthundert Seiten meines Buches von vorn bis hinten in einem Zug durchzulesen, immer war ich nach wenigen Seiten steckengeblieben und hatte Verbesserungen angebracht, weil ich natürlich in der Zwischenzeit genauer über Probleme nachgedacht, Wahrnehmungen intensiver nacherlebt hatte und insgesamt ein anderer Mensch geworden war, der diese Veränderungen auch seinem Personal zugutekommen lassen wollte. Aber Verbesserungen, Verdeutlichungen eines geschriebenen Textes sind schwieriger als die Abfassung des Textes selber, weshalb die meisten Autoren normalerweise auf eine Nachbesserung verzichten und den höheren Grad der Erkenntnis — wenn er sich denn eingestellt hat — lieber in ein neues Buch überführen. Da ich aber unter keinen Umständen bereit war, nach dem Tod meines Helden ein weiteres Buch zu schreiben, vielmehr dieses als mein endgültiges Testament betrachtet wissen wollte, und da ich überdies der Überzeugung anhing, es sei das Allerschwierigste und Allerseltenste, mit einem einzigen Buch den Tod in Schach zu halten, ließ ich mich immer wieder dazu hinreißen, unter Verzicht auf die Gesamtlektüre bereits fertige Passagen zu überarbeiten. Nun aber, nach dem beschlossenen Tod des Helden, blieb mir eine durchgängige Lektüre nicht erspart, und ich nahm mir vor, darauf zu achten, daß das Buch nicht von Gewitterbeschreibungen gleichsam durchnäßt war, die ich, sollte dies der Fall sein, gegen einige Sonnenszenen austauschen wollte, auch wenn sich

dadurch die Atmosphäre der mentalen Verfassung des Helden ändern sollte.
Mit diesen poetologischen und formale Probleme der Schriftstellerei betreffenden Gedanken im Kopf erreichte ich endlich das Gasthaus.
Überfüllt war die Gaststube, und ein dicker, dekkender Schleier aus Rauchschwaden stand über den mit Gläsern und Tellern übersäten Tischen, um die herum junge Leute so dicht gedrängt saßen, als gälte es, die letzte Mahlzeit zu erhaschen. Ein sonderbar gleichmäßiges Murmeln erfüllte den Raum, das hin und wieder von einer Lachsalve zerrissen wurde, die plötzlich unvermittelt abbrach. Es gab keine Übergänge, keine Stufung, nur die extremen Ausprägungen des Ausbruchs und der Gleichförmigkeit. Die Köpfe beugten sich nach der Salve erneut über das Essen, aber ich hatte den Eindruck, daß alle nur darauf warteten, sich sofort wieder nach oben und nach hinten werfen zu dürfen, von einer Kraft gedrängt, die ihre Quelle kaum in den dürren Erzählungen haben durfte, wie sie hier zum besten gegeben wurden: Angebereien, Schauergeschichten, Seemannsgarn, als lebten wir nicht in der deutschen Provinz, sondern in einem exotischen Land hinter dem Meer. Triefend vor Nässe und bibbernd hörte ich unter der Tür stehend zu, wie einer von Horst erzählte, dem die Rah an den Kopf geschlagen war, woraufhin alle das Ritual des Kopf-in-den-Nacken-Werfens zelebrierten, mit aufgerissenen Mündern, in denen Halb-

zerkautes und zuckende Zungen sich mengten, um sofort wieder nach vorne zu schnellen, bereit für neue Befehle. Nur einer an diesem Tisch, offenbar Horst, hatte gleichmütig weitergemampft und mit vollem Mund »stimmt ja gar nicht« gemurmelt, eine Äußerung, die nicht weiter kommentiert wurde.

Die Dramaturgie meines Auftritts war gründlich mißlungen. Trotz der bizarren Erscheinung, die ich bieten mußte, nahm keiner Notiz von mir, nicht einmal die zahlreichen Bedienungen, die ich alle kannte und die mir schon oft serviert hatten, machten Anstalten, mir einen Platz anzuweisen, im Gegenteil, man schubste mich hierhin und dorthin, um ungestört die Spezialität des Lokals, Schweinebraten, austragen zu können. Die Exzesse von Überheblichkeit, die stumm an mir verübt wurden, die aus einem unter der Woche gern gesehenen Gast, der oft genug der einzige Esser unter lauter Biertrinkern in der großen Schankstube war, einen Störenfried machten, ließen mich das Elend meiner Existenz greifbar fühlen. Unter diesen Anwesenden galt ich, der Stehende, der Triefende, der eben einen lebensentscheidenden Entschluß gefaßt, wenn nicht einen als Selbstmord getarnten Mord verübt hatte, nichts, das war deutlich zu spüren, aber vergeblich versuchte ich mir eine Runde vorzustellen, die besser von mir gedacht, die mich herzlicher begrüßt hätte. Nur wenige Menschen wußten von mir, und mein Projekt des Erzählens hatte ich ausschließlich Personen vorgetragen, die weder eine Vorstellung von dessen Dimensionen noch eine Achtung vor dem Schreiben hatten, und wenn es auf dieser Welt überhaupt noch einen gab, der in der Lage war, die verschlungenen Fäden meiner mäandrierenden Geschichte als die einzig verbliebene Ausdrucksform unserer Gegenwart zu deuten, dann war der für mich unbekannt. In diesem Gasthaus jedenfalls verkehrte er nicht, in dieser sinistren Gesellschaft von Schweinebratenanbetern würde ich keinen Verbündeten finden. Andererseits war dieses Gasthaus in den letzten Jahren der einzige Ort gewesen, an dem ich überhaupt Menschen traf, aus dieser trüben Lache fischte ich zum größten Teil meine Kenntnisse über die Gegenwart, den herrschenden Zeitgeist, nur hier erfuhr ich etwas über neue Wortschöpfungen, politische Intrigen, kulturelle Skandale, über den europäischen Binnenmarkt und den dramatischen Anstieg der Politikverdrossenheit. Hier erfuhr ich zu meiner allergrößten Verblüffung, daß ein mir namentlich nicht vertrauter Regisseur in Bremen am »Wintermärchen« gescheitert sei, von einer Frau übrigens, die auf Nachfrage zugeben mußte, noch nie in Bremen gewesen zu sein. Abstrakte Prozesse der ökonomischen Entwicklung wurden an diesen Tischen in sinnlich faßbare Anschaulichkeit überführt von Menschen, die entweder kaum ihr Bier bezahlen konnten oder auf der anderen Seite standen, wo es nur um Prozente ging. Wie oft hatte ich in diesem trüben Zimmer gesessen und Seite um Seite mitgeschrieben, was am Nebentisch wortreich oder stotternd vorgetragen wurde, und wenn ich, an Winterabenden, der einzige Gast war, hatte ich mit dem Koch und seinem Assistenten die Weltlage besprochen und versucht, ein wenig Ordnung in die krausen Lebensansichten meiner Tischgenossen zu bringen. Vergeblich, wie sich nun zeigte, denn eben dieser Assistent, ein verschlagener Bursche aus dem Norddeutschen, aus Lüneburg, ein Kraftprotz und Angeber, rammte mich mit einem vollen Tablett in den Rücken und ging grußlos mit ruhigen, gleichgültigen Augen an mir vorbei, ohne mich auch nur zu erkennen.

Entwürdigt und gedemütigt stand ich in einer Wasserlache, die bereits von Hunden aufgeleckt wurde, unerzogenen Tieren, die hechelnd nicht davor zurückschreckten, auch meine Schuhe zum Gegenstand ihrer Unersättlichkeit zu machen. Da ich mich nicht dem Vorwurf aussetzen wollte, ein verstockter Geselle zu sein, versuchte ich ein heiteres Gesicht zu machen, lachte sogar zweimal laut auf, erzielte aber, außer bei den zusammenzuckenden Hunden, keinerlei Wirkung. Ich fühlte mich unwohl, übergangen, eine Vorstellung, die ich nur durch rigorose Praxis widerlegen konnte. Also machte ich mich auf den Weg ins Nebenzimmer, wo es einen gemütlichen Platz neben einem Kachelofen gab, den ich be-

sonders liebte: man war schlecht zu sehen, hatte selber aber einen guten Überblick über die anderen Tische und die Tür im Auge, eine alte Holztür mit Eisenbeschlägen.
Ich nickte unschlüssig einem Mädchen zu, das neben dem Ofen auf meinem Stuhl saß und mich so unverwandt anstarrte, als ob sie es darauf ankommen lassen wollte, verewigt zu werden. Sollte ich dieses unerschöpfliche Starren festhalten? Eigentlich wollte ich keine Notizen mehr machen: die Gefahr war zu groß, daß ich wieder anfing, das Riesenwerk aufzufüllen, das eben erst eine rabiate Reduzierung erfahren hatte. Wahrnehmungsverbot, nicht Wahrnehmungssteigerung war das selbsternannte Gesetz der Stunde. Andererseits mußte man diese unverhofften Funde sofort notieren, weil sie beim Schreiben, im Vorgang des Schreibens, sich nur selten einzustellen pflegen. Am Schreibtisch würde das Starren dieses Mädchens zu einem normalen Starren werden, verloren, versonnen, nicht ganz bei sich, schlafmützig usw., während das Starren dieser Frau wie eine Maske wirkte, die sie vor dem Gesicht trug, um böse Geister zu vertreiben. Es gab eine Szene in meinem Buch, die ich nach einem Blick auf diese maskierte Frau entweder streichen oder neu fassen mußte. Der Held begegnet einem Mädchen, dessen Starren gleichsam einen Strahl aussendet, der alle Personen, die ihn kreuzen, dazu zwingt, sich dem Mädchen zuzuwenden. Nur der vollkom-

men zerstreute Blick, die reine Absichtslosigkeit, konnte diese Blickschranke ungerührt passieren, alle anderen mußten, auch mein Held, der Meduse ins Auge blicken. Ich hatte diese Szene zu einer kleinen Geschichte ausgebaut, um ein langes theoretisches Kapitel über ästhetische Probleme mit einem Divertimento abzuschließen. Vorbild dafür war eine Mitschülerin, eine vollkommen leere Person, die nichts außer diesem Blick besaß, mit dem sie ihre Leere notdürftig füllen konnte. War sie allein, brach in ihr alles zusammen, also war sie gezwungen, sich an öffentlichen Plätzen aufzuhalten, nach der Schule am liebsten auf Bahnhöfen, und auf einem Bahnhof hatte ich sie wiedergetroffen. Mir war aufgefallen, daß all die hastenden Personen an einer bestimmten Stelle plötzlich innehielten oder zumindest den Schritt verlangsamten und zu einem der pilzförmigen Biertische schauten, an dem die Starrende stand, und wenige Schritte weiter drehten etliche noch den Kopf zurück und vergewisserten sich staunend, daß sie tatsächlich für einen Moment in ihrer Zielstrebigkeit unterbrochen worden waren, was zu den schönsten Zusammenstößen führte. Ich hatte mich also von hinten an die ehemalige Mitschülerin herangeschlichen und mich mit einem Bier schräg neben sie gestellt, um die Wirkung ihres Blickes genau zu erkunden, wurde aber bald darauf von der Person aufgestöbert, die ich abholen wollte und die nun, von den Bahnsteigen kommend, mit schwerem Gepäck geradewegs auf der Augenschiene dieses Mädchens in unsere Richtung taumelte, neben meiner Mitschülerin stehenblieb und die Koffer absetzte, als wolle sie bei ihr verbleiben, die nun ihrerseits ihr Glas austrank und im Triumph mit gerecktem Kopf sich davonmachte. Im Manuskript hatte ich die Szene an einen anderen Schauplatz verlegt und ihr die Funktion zugeschrieben, dem Helden die Notwendigkeit von Schranken und Begrenzungen zu verdeutlichen, damit sein Blick — der moderne Blick, wie ich hoffte — sich nicht wahllos verliert und verzettelt, sondern bewußt konzentriert. Der Held zwingt sich dazu, immer häufiger ein bestimmtes Lokal aufzusuchen, wo eine Bedienung über einen derartigen Blick verfügt, der ihn notgedrungen mehrere Male am Abend treffen mußte. In altmeisterlicher Manier hatte ich beschrieben, wie der Held sich einbildet, dieser Blick sei der Tod, und die Übung bestand darin, diesem Totenblick standzuhalten, um anschließend mit anderen Augen zu sehen. Paradoxerweise mißversteht aber die Kellnerin den stets auf sie gerichteten Blick, das Messen der Blicke, nicht als Ritual der Todesabwehr, sondern als Aufforderung, was zu einer sehr komischen Vereinigung führt: während sie endlich das Lager teilen, rufen sie sich stets gegenseitig zu, doch die Augen zu schließen.

Als ich nun in dem verräucherten Nebenzimmer des Gasthauses dem starrenden Mädchen in die Augen sah, wollte ich sofort umkehren, um das betreffende Kapitel meines Buches neu zu fassen: der Tod ist die Summe aller unserer Leben, wir dürfen uns nicht anschauen lassen, aber das draußen losbrechende Gewitter hielt mich von dieser Umkehr ab. Ich nahm schlotternd am Nebentisch Platz, an dem der mir bestens bekannte Besitzer des örtlichen Frischzellensanatoriums dinierte, ein mir wenig sympathischer Mensch, der sich für ein unvorstellbares — für einen Schriftsteller astronomisches — Honorar den Professorentitel einer südamerikanischen Scheinuniversität gekauft hatte. Der Fall war durch die Zeitung gegangen, was weder seine Patienten hinderte, sich von ihm spritzen zu lassen, noch ihn, diese Geschichte ohne jedes Unrechtsbewußtsein prahlerisch wiederzugeben, weil er der wahrscheinlich nicht einmal ganz falschen Ansicht anhing, die heutzutage rechtmäßig erworbenen Professorentitel verdankten sich einer weit geringeren Leistung, als er sie mit seinem Frischzellenlebenswerk erbracht hatte. Sehen Sie die grauen Schimmelpilze dort hinten am Ecktisch, rief er mir fröhlich zu, die sind heute eingetroffen — in einer Woche werden sie hier auf den Tischen tanzen. Wenn das auch kaum zu erwarten war — bei den Angesprochenen handelte es sich um ein älteres Ehepaar —, so war mir doch aufgefallen, welche Wirkung seine Therapie auf die häufig an meinem Haus vorbeiflanierenden Patienten hatte, und mehr als einmal war ich geneigt, meine Vorbehalte niederzukämpfen und mich in die Hände dieses Grobians zu begeben, um mich nach der jahrelangen Fron am Schreibtisch erneuern zu lassen. Aber ein Blick auf seine zur Faust geballten Hände brachte mich auf andere Gedanken, und während der Professor noch lärmend auf einen dritten Gast am Tisch einredete, hatte ich Gelegenheit, ein Bier und ein Schnittlauchbrot zu ordern.

Der blasse Dritte ließ mir nicht die nötige Ruhe, verschiedene Kapitelverläufe im Kopf durchzuspielen, wie ich es mir vorgenommen hatte: immer dann, wenn ich an einem heiklen Punkt angekommen war, von dessen Vergegenwärtigung ich mir strukturelle Verbesserungen erhoffte, durchschnitt er mit seiner näselnden Diktion meine Gedanken. Und das Material, das er vortrug, gab Anlaß genug für mancherlei Ablenkung, denn dieser unscheinbare Herr war nichts weniger als der Doyen der Blutegelforschung. Jahrelang war er der ungelösten Frage nachgegangen, warum ein etwa zwei Gramm schweres Tier nur alle ein bis zwei Jahre rund zehn Gramm Blut von Säugetieren zu sich nimmt, wovon es in nur acht Stunden sogar 60 % wieder ausscheidet, nämlich die Wasser- und Salzbestandteile, und trotzdem ein gewissermaßen ordentliches Leben führt. Die Frage nach dem physiologischen Regelsystem, das den Salz-Wasser-Haushalt der kleinen Tiere auch unter Belastung konstant hält, war von unserem Tischgenossen beantwortet worden. Und zwar hatte er Rezeptoren entdeckt, die die Blutkonzentration und das Blutvolumen registrieren und etwelche Veränderungen dem Zentralnervensystem melden, das seinerseits den Nephridien — den Exkretionsorganen, wie er uns flüsternd mitteilte — Anweisung gibt, die Wasser- und Salzausschüttung so zu steigern, daß innerhalb weniger Stunden die alte Blutkonzentration und das alte Blutvolumen wiederhergestellt sind.

Kaum zu glauben, sagte der Professor, und ich hätte beinahe etwas Ähnliches gesagt, wenn ich mich damit nicht auf die gleiche Stufe mit diesem Grobian gestellt hätte. Aber die Vorstellung faszinierte mich, wie ein Blutegel nur alle Jahre das schreckliche Gasthaus aufsuchen zu müssen, um dann zwölf Monate in aller Ruhe verdauen zu können. Viele Probleme des Zusammenlebens wären mit einem Schlag gelöst, wenn es gelänge, in den menschlichen Organismus die Ionenpumpen des Blutegels einzubauen, sagte ich zaghaft, was den Blutegelforscher, der nicht auf den Kopf gefallen war, in Hinsicht der Verwertbarkeit seiner Entdeckung zu einem längeren Exkurs veranlaßte, der, um es milde auszudrücken, in seiner Substanz faschistoide Elemente barg. Blitzschnell sah er nämlich die Gelegenheit für gekommen, uns seine Theorie über den Menschen und seine Verfallenheit aufzutischen, und ich konnte nur staunen, wie aus diesem blassen Zwerg sich Ansichten ans Licht brachten, die in demokratisch verfaßten Gesellschaften gründlich verfolgt zu werden verdienten. Plötzlich war der Blutegel das bessere Tier, seine physiologische Organisation der des Menschen vorzuziehen, und es hätte nicht viel gefehlt, und er hätte den schwarzen Sauger zur Krone der Schöpfung erklärt, während der Mensch auf dieser Stufenleiter unablässig seinem Untergang entgegenschritt.

Nun war mir schon geläufig — und so hatte ich es auch in meinem Buch aufgeführt —, daß eine bestimmte Sorte von Naturwissenschaftlern, besonders jene, die immerfort durchs Mikroskop starrte, dazu neigte, den Hochzeitstanz der Bienen über die Leistung des Bolschoi-Balletts zu stellen, aber daß ein Blutegel in seinem brackigen Wasser im Vergleich zur menschlichen Kultur besser abschneiden sollte, ging selbst mir zu weit, um so mehr, als der Frischzellenprofessor bei jeder aberwitzigen Äußerung des Forschers lauthals zustimmte und schließlich als Fazit unserer Unterhaltung verkündete, Frischzellentherapie und Blutegelei seien die einzigen Errungenschaften der menschlichen Vernunft, die erwähnenswert seien, und müßten in einem wiedervereinigten Deutschland in ordentlichen Grenzen in der Ausbildung die Führungsrolle übernehmen.

Nun hatten wir, um es vorsichtig auszudrücken, das Bier nicht im Faß gelassen, was zur Folge hatte, daß unser Streitgespräch insgesamt aus den geordneten Bahnen eines wissenschaftlichen

Diskurses gekippt war, dennoch blieb bei mir das unangenehme Gefühl, in der falschen Gesellschaft gelandet zu sein. Und bei einem vorsichtigen Rundblick mußte ich bemerken, daß tatsächlich alle Gäste des kleinen Nebenzimmers mit angewidertem Ausdruck den Eskapaden des blassen Forschers lauschten. Aber noch ehe ich durch gewisse Mienenspiele erkennen lassen konnte, daß ich keineswegs zu diesen beiden entflammten Herren gehörte, wurde ich durch einen heftigen Schlag des Professors auf die Schulter zur Ordnung gerufen. Sie sind ein verdammter Pessimist, rief er mir dröhnend ins Ohr und schlug noch einmal zu, daß mir das Bier aus dem Glas, das ich zum Schutz erhoben hatte, übers Hemd spritzte, ein gleichermaßen zur Anarchie wie zur Melancholie neigender Pessimist. Offenbar war Pessimist für diesen Mann ein Schimpfwort, während ich daran die süßesten Vorstellungen knüpfte. Das Lieblingskapitel meines Buches handelte von einem Streitgespräch zwischen meinem Helden und einem Pessimisten, das ich vor Jahren in einem langen Winter im nördlichen Mexiko geschrieben hatte. Morgens vor der Arbeit las ich eine Seite in Ludwig Wittgensteins »Vermischten Bemerkungen«, abends nach der Arbeit die Romane Alejo Carpentiers, tagsüber feilte ich an dem Streitgespräch mit dem abgrundtiefen und vielleicht etwas zu gebildeten Pessimisten, dem ich Seite für Seite in den Mund schob, um die Sinnlosigkeit menschlichen Tuns zu beweisen, bis er endlich in einer Bar in New York über meinen resignierten Helden triumphieren durfte. Vielleicht hast du recht, war dessen letzter Satz, aber beweisen kann ein Pessimist gar nichts. Es waren die intensivsten Schreibmonate meines Lebens, nie war ich glücklicher gewesen als in jener Zeit.

Das Geld für die Reise hatte ich mir durch einen Job als Packer in einem Verlag verdient. Schon nach wenigen Tagen war mir aufgefallen, daß die Stückzahl der vorhandenen Bücher nicht abnahm, obwohl wir — ein Türke, ein Sudetendeutscher und ich — acht Stunden täglich damit beschäftigt waren, Bücher zu verpacken und zu versenden. In einer längeren Hausmitteilung machte ich Meldung über den in meinen Augen betriebswirtschaftlich bedauerlichen Zustand und wurde prompt in den ersten Stock der Villa gebeten, wo der Verlagsdirektor, ein vierschrötiger Germanist aus der Bonner Schule, zusammen mit zwei Sekretärinnen und einem Lektor die inhaltliche Seite der Bücher überwachte, die wir zu versenden hatten. Der Direktor hatte zu beiden Frauen ein unentschiedenes Verhältnis, und immer, wenn sein Trieb sich mehr auf die eine richtete, mußte der Lektor sich um die andere kümmern. Das tat ihm nicht gut, wie jeder sehen konnte, und auch die Bücher litten unter diesem Verkehr, weil sie in der Regel ungelesen in den Satz gingen.

Ich gab meine Beobachtung von der sich nicht

verändernden Anzahl der Bücher wieder und gab auch die Packfehler zu, die von dem Sudetendeutschen, der im Unterschied zu dem Türken die Sprache der Bücher nicht oder nur lükkenhaft beherrschte, verschuldet wurden, ohne daß das Ergebnis in seiner wesentlichen Qualität sich änderte. Es ist zwar viel Bewegung in der Packerei, schloß ich den ersten Teil meines Reports, aber wenn die Anzahl der verschickten Bücher mit der der zurückgesandten Bücher mehr oder weniger übereinstimmt, ist bei fortschreitender Produktion bald mit Überfüllung der Lager zu rechnen. Viel Bewegung, keine Belebung. Im Grunde kamen nur die Exemplare des Freilagers nicht zurück, die zur Komplettierung der Hausbibliotheken von Journalisten verschickt wurden, aber nicht einmal darauf war Verlaß, weil viele der so Beschenkten die Bücher ungeöffnet dem örtlichen Buchhandel zum halben Preis verkauften, der sie seinerseits sofort an den Verlag retournierte. Um nicht als Miesepeter dazustehen, noch dazu als ein in der Branche nicht Ausgebildeter, machte ich einen Vorschlag, der sofort mit Beifall akzeptiert wurde: jedes zweite zur Annahme empfohlene Manuskript sollte wieder abgelehnt werden.
Der Erfolg war so durchschlagend, daß der Türke entlassen werden mußte, weil die Arbeit ausblieb, ich dagegen wurde gehaltlich bessergestellt. Und schon nach wenigen Monaten wurden nur noch pornographische Romane von in

Österreich lebenden Frauen publiziert, die unter dem Spitznamen »weibliche Ästhetik« über die Grenze gebracht wurden und einige Abnehmer fanden, weil der Reiz, all die schönen alten pornographischen Wörter aus österreichischem Frauenmund noch einmal zu hören, unwiderstehlich war. Der Rest — lyrische Beschreibungen der Sommermonate, Reiseschilderungen und Romane in Ich-Form, in denen die Welt und das Tun der Menschen in tragischer Perspektive Erwähnung fanden — wurde nicht mehr verlegt. Die Autoren solcher Werke verliefen sich gelegentlich zu uns in den Keller, aufgeräumte Burschen und verhärmte Frauen, die uns ein Bier ausgaben und über die vollen Regale staunten, ihrem zukünftigen Schicksal. Fick-Roman oder Ich-Novelle, fragte sie der Sudetendeutsche in seiner verbindlichen Art und steckte dabei den Daumen zwischen zwei Finger, und wenn die Antwort in Richtung tragische Weltsicht ging, ließ er den Daumen nach unten hängen. Wenn sie uns dauerten, schrieben wir ihnen in der Mittagspause einen deftigen Dreier an den Anfang des Manuskripts, weil wir ja wußten, daß der Lektor selten über die erste Seite hinauskam, und verhalfen damit manchem Autor zur Publikation, auch wenn in der Kritik das Mißverhältnis zwischen dem derb-sexuellen Anfang und dem lyrisch-meditativen Rest des Romans tadelnd herausgestrichen wurde. Jedenfalls blühte das Unternehmen kurzzeitig heftig auf, um dann ebenso heftig zusammenzubrechen. Der Verlagsdirektor versuchte sich noch eine Weile mit dem Verkauf von winterlichen Lagerfeuern an neo-faschistische Randgruppen über Wasser zu halten, ging dann aber bald zum Alkohol über und versteinerte. Als Abfindung erhielten der Lektor, die Sekretärinnen, der Sudetendeutsche und ich neben zwei künstlichen Lagerfeuern jeweils einen Teil des Romanlagers, den ich später mit einem ordentlichen Nachlaß an einen Liebhaber der österreichischen Literatur verkaufen konnte. Noch nach meiner Rückkehr aus Mexiko und mit dem fertigen Pessimismus-Kapitel auf dem Papier, besuchte mich gelegentlich der Lektor, um meine betriebswirtschaftlichen Kenntnisse zum Aufbau einer neuen Verlagsbuchhandlung zu nutzen, aber alle von ihm vorgeschlagenen Publikationsprojekte, sämtlich dem Thema Körpererfahrung und Philosophie gewidmet, also einer höheren Form von Pornographie, schienen mir wenig geeignet, erneut in Geschäftsbeziehungen zu treten. Diese neue Berliner Body-Schule ist Gold wert, wenn wir das richtige Marketing-Konzept haben, versuchte er mich zu ködern, aber ich hatte schon mit schlapper Geste abgewunken.

Diese glückliche Zeit meines Lebens fiel mir ein, als mich der Frischzellenprofessor einen Pessimisten schimpfte. Sei es aus Respekt vor dem Alter des Mannes, sei es aus Scham darüber, in der Gesellschaft eines solchen Menschen mich freiwillig aufzuhalten, bestand ich nicht auf einer Korrektur dieser Aussage, sondern ließ es mit einem Grunzlaut sein Bewenden haben, und auch die sich nun anschließende Diskussion zwischen Professor und Blutegelforscher über den immer stärker um sich greifenden Pessimismus mußte ohne einen Beitrag von mir auskommen. Inzwischen hatten die Kellnerinnen die Stühle auf die Tische gestellt, nur wir saßen noch in unserer kleinen Runde beisammen, tranken Bier und ab und an einen Schnaps, damit die Intensität der Unterhaltung nicht nachließ. Auch der Koch und sein Assistent hatten zu uns gefunden, die hohen Mützen vor sich, saßen sie da und feixten. Du bist wohl der Verlierer, sagte der Assistent zu mir, der von nichts etwas verstand, nicht einmal Grundkenntnisse in seinem Gewerbe vorweisen konnte. Halt's Maul, sagte der Koch, auf dessen Freundschaft ich früher leicht verzichtet hätte. Einer muß ja Verlierer sein, maulte nun der Assistent, warum also nicht der Pessimist, und dabei ließ er seine fleckige Zunge über die Lippen wischen. Du sollst das Maul halten, wiederholte der Koch einsilbig, du bist selber ein verdammter Pessimist. So gab ein Wort das andere und türmte sich zu einer Unterhaltung, die von den Bedienungen noch gestützt wurde. Ich mag Pessimisten, ließ sich eine von ihnen vernehmen, eine schlaffe Frau, der man ein Eintreten für noch den schäbigsten Optimisten auch nicht zugetraut hätte. Pessimisten sind

interessanter als Optimisten, war ihr Fazit, das sie mit einem Augenzwinkern in meine Richtung bekräftigte.
Als der Morgen graute, machten wir uns untergehakt auf den Heimweg, der Blutegelforscher hing am Arm des Professors, der den anderen Arm um mich gelegt hatte, ich hatte die Bedienung an der Hüfte gepackt, der Assistent hing lose an der freien Hand der Bedienung. Ohne unsere Schritte zu lenken, wankten wir den Hügel hinauf, den Koch im Rücken, dessen weiße Mütze grell von der Umgebung abstach. Mit kurzen Unterbrechungen — der Blutegelforscher mußte kotzen, der Professor durchatmen, die Bedienung die Hände des Assis aus ihrem Rockbund zerren und der Koch aufschließen — stolperten wir zügig voran und standen plötzlich vor meiner Klause, deren gesprenkeltes Holz, matt überzogen von Tau, von der ersten Morgenröte in ein warmes Licht getaucht war. Russisch sah sie aus, vertrauenerweckend und nichts von der Dramatik preisgebend, die sie barg. Küchenchef und Helfer ließen sich Rücken an Rücken auf die Erde gleiten und schliefen sofort ein, der Professor legte sich im Schuppen hinter dem Traktor zur Ruhe, der Blutegelforscher kniete sich grün angelaufen vor die Toilette, und ich legte mich mit der Bedienung auf die Ausziehcouch und hörte mir den »Harold« von Berlioz an, eine Musik, die die Bedienung auf der Stelle mundtot machte. So hatte ich Ruhe, meine durcheinan-

dergewirbelten Gedanken zu ordnen, mit dem Ergebnis, daß ich um die neunte Stunde mich aus den flaumigen Armen von Eva — so ihr Name — befreite, auf Zehenspitzen zu meinem Manuskript ging, das große Kapitel über den Pessimisten herausnahm, fast achtzig Seiten stark, vor die Hütte trat, einen Blick auf die nun zur Seite gekippten Küchenmeister warf, auf das grummelnde Stöhnen des Blutegelforschers durch das Toilettenfenster hindurch lauschte und das Schnarchen des Professors grimmig zur Kenntnis nahm und schließlich auf die Wiese lief, wo ich das Konvolut heftig sich wehrender Seiten unter den neugierigen Blicken meiner treuen Freunde, der braunen Kühe, verbrannte. Meine Ansichten über Pessimismus waren befleckt worden, jetzt sollten sie in den rasch aufzüngelnden Flammen ihre ursprüngliche Reinheit zurückerhalten. Rund dreihundert Seiten meines ursprünglich mehr als achthundert Seiten umfassenden Manuskripts hatte ich in den letzten zwanzig Stunden den Augen des zukünftigen Publikums entzogen, eine Aktion, die mich mit Stolz, Genugtuung und tiefer Angst erfüllte.

8

Gegen Mittag erschien endlich ein Wagen der örtlichen Gendarmerie, den als vermißt gemeldeten Professor zu suchen. Ich lieferte ihn anstandslos aus. Da die Polizei offenbar Gründe hatte, ihm dankbar zu sein, zogen sie ihn vorsichtig an den Beinen unter dem Traktor hervor und betteten ihn auf Zeitungen im Fond ihres Kombi, wo diese beklagenswerte Gestalt sich wie ein verwundetes Tier unter Stöhnen zusammenringelte, den Kopf unter die ölverschmierte Jacke schob und bewegungslos liegenblieb. Die beiden Köche wurden weniger sanft auf den Rücksitz geschubst, wo sie blöde ineinanderkugelten, dann wurden die Fenster heruntergedreht, um frische Luft über die übel riechende Gesellschaft streichen zu lassen, und das Auto wäre losgefahren, wenn ich nicht laut schreiend auf die Toilette gewiesen hätte, wo der Blutegelforscher, inzwischen gelb angelaufen und insgesamt den Eindruck erweckend, er wolle die Form seiner Forschungsobjekte annehmen, immer noch wie tot und von oben bis unten beschleimt vor dem rissigen Porzellan verharrte. Selbst die geschulten Polizeikräfte mußten lange ihre Erinnerung befragen, bis sie auf einen Trick kamen, den steifen Herrn durch die schmale Tür zu zerren, wobei die Hose sich von seinem mageren Gesäß löste und als unappetitlicher Knäuel über seinen Knöcheln hängenblieb. Kein Anblick für die deutsche Forschungsgemeinschaft, dachte ich, machte aber keine Anstalten, Hand anzulegen, zu tief saß der Stachel der Beleidigung, zu rein war die Verachtung für Personen seines Schlages, die im Namen der Forschung und Lehre das Antlitz der Vernunft verunreinigen durften. Der Mann wurde im Freien auseinandergeklappt und der Länge nach über die Knie der Köche gezogen, den Kopf nach unten. Scheißpessimist war das erste Wort, das ich von einem Mitglied dieser ungleichen Brüderschaft an diesem strahlenden Morgen zu hören kriegte, und es blieb auch das einzige. Den Polizisten mußte ich schriftlich versichern, mich nicht außer Landes zu begeben, bis dieser Vorfall geklärt war, dann fuhr die schwer beladene Fuhre mit Blaulicht ab.

So stand ich fröstelnd in der Morgensonne, blickte zum See hinunter, der grau und träge den Tag erwartete, und war doch irgendwie erleichtert, mit heiler Haut dieses Abenteuer überstanden zu haben. Das Manuskript hatte gelitten, gewiß, und doch schien mir der Verlust des einen Kapitels erträglich, ja notwendig, um den Rest von allen denkbaren weltanschaulich gefärbten Anschuldigungen freizuhalten. Gerade im Hinblick auf den Schluß des Buches, auf den unerwarteten Suizid, mußte auf den vorhergehenden Seiten jede Anspielung auf Motive vermieden werden, und gerade das Pessimismus-Kapitel hätte einen unbegabten Kritiker dazu veranlassen können, hier den Grund für die plötzliche Entleibung in der Hand zu haben. Geschmacklosigkeiten dieser Art kamen immer wieder vor, weil viele Kritiker in ihrer taktlosen Klugheit dazu neigten, Bücher und Leben auf ihre Stimmigkeit zu befragen, und im Falle des Mangels an Beweisen für kausale Erklärungen das Unvereinbare als durchaus vereinbar zu nehmen trachteten. Im besonderen Maße traf diese Beobachtung auf Bücher zu, die mit einem Tod endeten, weil offenbar für die meisten Menschen der Tod einer schlüssigen Erklärung bedarf, jenseits aller ästhetisch-literarischen Probleme, die von ihm aufgeworfen werden.

Ein Schmetterling saß regungslos auf der Lehne meines Stuhls; es würde ein warmer Tag werden. Innerlich war ich nun stabil genug, mein Manuskript zu holen und mit der Überarbeitung anzufangen, denn auch wenn ich durch die umfangreichen Kapitelabgänge in den letzten Stunden nun weniger Arbeit hatte, so blieb doch genug zu tun. Aber als hätte ich gerade lauthals verkündet, diesen Tag dem Müßiggang widmen zu wollen, öffnete sich die Tür und entließ die Bedienung. Der feine Flaum auf ihrem Körper hatte sich aufgerichtet und verlieh der Gestalt eine Art Heiligenschein, was ganz im Gegensatz zu ihrem Charakter stand, der sich mehr oder weniger genau mit Unheiligkeit beschreiben ließe. Jedenfalls setzte sie sich träge auf meinen Schoß, schlang ihre weichen Arme um meinen Kopf und legte ihre Stirn auf meine Schulter, so daß meine empfindliche Nase in ihrem nach Rauch riechenden Haar unterkommen mußte; und wären mir nicht die Beine eingeschlafen, wäre sie eingeschlafen. So aber mußte ich aufstehen und den schweren weißen Körper auf der Wiese ablegen, wo er zunächst wie ein Granitblock liegenblieb.

An Arbeit war nicht zu denken, zu obszön blitzte das Fleisch durch die grünen Halme und lenkte meinen Blick vom ersten Kapitel ab. Was tun mit dieser Frau, die keine Anstalten traf, das Grundstück zu verlassen? Es blieb mir nichts übrig, als sie anzusprechen, aber jede vernünftige Ansprache erhielt nur ein matt gemurmeltes Echo. Du zerdrückst das Gras, zerstörst die Pusteblumen, rief ich ihr zu, du störst das Bild der Landschaft, bringst die Harmonie in Unordnung, die Ameisen werden dich beißen — nichts brachte dieses eigensinnige Ding dazu, die unerträgliche Situation zu bereinigen. Schließlich holte ich, um meine Augen zu beruhigen, die Decke von meiner Couch und legte sie über das Mädchen, das in dem Moment, da mein Schatten auf es fiel, die Arme ausbreitete und den Mund öffnete, als wolle es nach all dem Schweigen endlich einen Lösungsvorschlag unterbreiten. Also beugte ich mich nieder und legte mein

Ohr an ihren Mund, wurde aber sofort gepackt und unter die Decke gezogen. Sie war, das spürte ich sofort, trotz aller sogenannten Weiblichkeit stärker als ich, weshalb ich nach anfänglichem Widerstand mich ergab und mit fest geschlossenen Augen Zeuge der schändlichsten Operationen wurde. Laß es gut sein, wir kennen uns doch gar nicht, bat ich, doch schien sie solches Flehen nicht zu berühren. Krampfhaft bemühte ich mich, an etwas ganz anderes zu denken, um wenigstens innerlich rein zu bleiben, aber alles, was mir einfiel, war nichts im Vergleich zu dieser Triebhaftigkeit. Sollte ich mein Buch aus der Ich-Form in die Er-Form bringen? Sollte ich die rohen, ungestalten Kapitel, besonders am Anfang, wirklich verbessern, glätten, oder doch so lassen, wie sie waren, um das Zufällige zu betonen, aus dem der Held sich sein Leben meißelt? Sollte ich ihm einen Beruf geben, eine fest umrissene Tätigkeit, einen geregelten Tagesablauf, um die Abweichungen, besonders seines Intellekts, stärker und deutlicher in den Vordergrund zu rücken? Müßte ich nicht gleich im ersten Kapitel eine Perspektive einbauen? Ich dachte daran, daß eine Beerdigung am Anfang ein dramatischer Aufhänger sein könnte, die Beerdigung der Mutter zum Beispiel? Meine eigene lange Einsamkeit hatte mich dazu verleitet, den Mann einfach in seinem Zimmer sitzen zu lassen, wodurch eine Komplizenschaft entstanden war, die zwar mir, aber nicht unbedingt dem Manuskript gutgetan hatte. Er muß an die Luft, schrie ich die mühsam ihrer Beschäftigung nachgehende Bedienung an, er muß sich bewegen, Freunde sollen ihm zur Seite stehen, von denen er sich lösen kann, auf Feste will ich ihn schicken, er muß andere Gesellschaftsschichten kennenlernen, andere Rassen, Frauen sollen ihm die Ursprünglichkeiten des Lebens nahebringen! Die erschrockene Fröhlichkeit, die ich meiner Stimme zu geben wußte, ließ das Mädchen innehalten. Ich will arbeiten, ich muß arbeiten, und nichts auf der Welt soll mich daran hindern, mein Werk zu vollenden, sagte ich erleichtert und wie von einem Alp befreit, als ich endlich wieder festen Boden unter den Füßen hatte.

Sie blieb. Ich saß unter dem Sonnenschirm an meinem Tisch und versuchte vergeblich, meinem Helden etwas Weltläufigkeit beizubringen, in Nebensätzen, damit die Hauptstruktur nicht verwackelte, und sie lief splitternackt im Garten herum und sprach zu sich selber. Als die ersten Spaziergänger am Zaun kleben blieben, vernarrt in dieses lächerliche Schauspiel, band sie sich eine Schürze um, die sie im Schuppen gefunden hatte, eine blaue Latzschürze, mit dem zweideutigen Erfolg, daß die ersten Sommerfrischler vom Zaun her fragten, ob in diesem Haus Zimmer zu vermieten seien. Wir sind belegt, rief sie aufgeräumt winkend zurück, kommen Sie morgen wieder, und mit diesen Worten drehte sie den Leuten ihre blanke Rückseite zu. Ich mußte ernsthaft um meine Arbeit bangen, denn am Nachmittag, als die Sonne sich schon neigte, hatte ich mit krakeliger Schrift gerade die erste Seite geschafft, und zu meiner tiefsten Verzweiflung bestand die Korrektur darin, daß ich eine ganze Seite ausgestrichen und zu einem einzigen langen Satz komprimiert hatte, einem Satz obendrein, der in seiner Beiläufigkeit nichts von dem Glanz ahnen ließ, der auf den folgenden Seiten verbreitet wurde. Wo war die hochfahrende Konstruktion geblieben, wo waren die sprachlichen Echos, die sich in all den Einschüben und Klammern verborgen hielten, um in dem Moment, da das lesende Auge sie erreichte, ihren vollen Klang zu entfalten? Warum hatte ich an einem Nachmittag geopfert, was mir jahrelang als der genialste Einstieg in mein mäandrierendes Werk vorgekommen war? War die Frau die Ursache dieses buchhalterischen Vernichtungswillens, die nackte Frau, die sich inzwischen, weil sie ohne direkte Ansprache war, wieder auf die Couch zurückgezogen hatte? Voller Bestürzung las ich die wenigen Zeilen, die, an den Rand gepreßt, als hätten auch sie keine Berechtigung auf dem Papier, wie ein schlechter Witz wirkten im Vergleich zu dem Gebäude, das sie ersetzen sollten: »Der Fata Morgana meiner hochfliegenden Träume entwachsen, versuchte ich, im Geiste unbedingter Subjektivität, die Wahrheit über mein nachlassendes Gefühl für den Weltzusammenhang in Erfahrung zu brin-

gen, ohne der blühenden Wildnis meiner verflüchtigten Identität nachzutrauern.« Fing so ein Roman an, ein Weltendrama?
Konnten solche Sätze Leser, die ihre Wahrnehmung an all den kleinbürgerlichen Ehedramen und sozialen Rührstücken geübt hatten, in Erstaunen setzen und eine Erwartung schüren, die ihren blankgeputzten Horizont mit einem Schlag verdüsterte? War die Reinheit und Aufrichtigkeit der Selbstbefragung deutlich genug in diesen Zeilen? Ich spürte, wie mir die Tränen in die Augen sprangen, und mußte all meinen verbleibenden Mut sammeln und bündeln, um mit Würde zu vollenden, was vollendet werden mußte: Ich nahm das ganze erste Kapitel vom Stapel und zerriß es unter lauten Klageworten in winzige Schnitzel, die ich schreiend und schluchzend einem gnädig beigesprungenen Fallwind übergab.

9

Eines Tages erhielt Karl — bei diesem Namen durfte es natürlich nicht bleiben, das war mir klar — eine Einladung zum Abendessen bei dem Sohn eines Industriellen (genauere Bezeichnung), der im Aufsichtsrat der väterlichen Firma einen Sitz innehatte, und nahm, gegen seine Gewohnheit, alle derartigen Ablenkungen auszuschlagen, an, weil das Essen zu Ehren einiger junger Künstler gegeben wurde, deren Ausstellung im örtlichen Kunstverein für Aufregung gesorgt hatte. Der junge Gastgeber, jünger als Karl und, wie sich herausstellen sollte, in Fragen der modernen bildenden Kunst über alle Maßen bewandert, hatte die Ausstellung der jungen Künstler nicht nur ermöglicht, sondern durch den Kauf einiger großformatiger Bilder noch vor Ausstellungseröffnung in den Rang eines Ereignisses gehoben. Nach der Suppe (evtl. durch anderes Gericht ersetzen: vitello tonnato o. ä.) hielt er eine kurze Begrüßungsrede, die seine stupende Kenntnis und seinen Geschmack aufs beste unter Beweis stellte: Der Künstler, sagte er, ist der letzte gegen die Institutionen gefeite Mensch, der einzige, der sich gegen die funktionalen Mächte, deren Opfer wir alle sind — und ich schließe mich keineswegs aus —, zur Wehr setzen kann. Und er ist es

schließlich — warum sollen wir nicht darüber reden, fragte er rhetorisch —, der in unmittelbarer Nähe der Macht gedeiht und Wohnung nimmt. Das war zur Zeit der Renaissance so (Beispiele, Namen), daran hat sich auch heute nichts geändert: Kunst und Macht sind Geschwister, Mann und Frau, wobei der Macht, dem Geld, dem männlichen Prinzip, das Unbewegliche zukommt, der Kunst, dem Weiblichen, das Bewegliche. Die Macht braucht das Schöne, und das ist auch der Grund dafür, weshalb ich allen Hasenfüßen unter den Industriellen, die der Kunst, dem Schönen ausweichen und keine Bilder kaufen, die Angst davor haben, das Erhabene in den Mund zu nehmen (das Sublime besser), zurufen möchte: Stellt euch dem Schönen, nur das Schöne kann euch retten! (Retten vielleicht zu stark.)
Karl konnte an den Gesichtern der jungen Künstler ablesen, wie die Preise für ihre Bilder in die Höhe kletterten, und so war er auch nicht überrascht, daß die vier jungen Männer, die ihm gegenüber saßen und während der Suppe (s. o.) über den günstigen Kauf von Landhäusern in Spanien diskutierten, in Jubel ausbrachen, als der junge Herr geendet hatte. Genau, sagte einer von ihnen, ganz genau stimmt das mit dem Erhabenen, reiner Wahnsinn. (Evtl. modischeres Wort, geil etc.)
Mein Mann liebt das Balancieren zwischen den Extremen, sagte die Frau des Gastgebers, die neben Karl saß, zu Karl, und wenn er nicht die Fir-

ma übernehmen müßte, wäre er Maler geworden, abstrakter Maler, nehme ich an, losgelöst von der niederträchtigen Realität, da er, von Natur aus, jede Form von Ekstase liebt, Rausch, Erregung, Eruption, Wahnsinn. Wenn man ihn so sieht in seinem Anzug, flüsterte sie ihm zu, möchte man nicht glauben, zu welchen Exzessen der Entblößung, der Selbstentäußerung er fähig ist, ein Psychopath und Träumer, der dem Infantilismus nähersteht als der Vernunft, der seinen Restverstand als starken Korrektor braucht gegen die Gesichter und Visionen, die ihn heimsuchen. Ich kenne die Zustände der Erregung, die ihn im Angesicht der modernen Malerei befallen, den Verlust des Gemeinsinns, der mit dem Kauf der Bilder einhergeht, er kennt mich dann nicht mehr, sieht nur noch Farbe! Unsere Ehe wäre eine Verfallsgeschichte, wenn ihn die Firma (wichtig: Art der Firma) nicht immer wieder zur Raison bringen würde, eine Degenerationsgeschichte, reines Maskenspiel. Man war beim Nachtisch angelangt, bei Kaffee und Schnäpsen, denen Karl — ganz im Gegensatz zu den fidelen Malern, die mit ihren Servietten Flugzeuge bauten und sie seiner anderen Nachbarin, der Frau des Verkaufsleiters, die sich ebenfalls für die moderne Kunst interessierte, in den Ausschnitt schossen — wenig zusprach. Er fühlte sich fehl am Platze zwischen all den Gemeinplätzen, die hier als Philosophie gehandelt wurden, das Schrumpfen der Kompetenz ekelte ihn an, die Abwesenheit von Maß und Sitte, so daß er froh war, als sich der Gastgeber auf den frei gewordenen Stuhl der Frau des Verkaufsleiters setzte, die ihrerseits den Wunsch geäußert hatte, von einem der Maler in einem stillen Raum genauer über die Bewegungen der Inspiration (zu stark?) unterrichtet zu werden. Der Gastgeber entpuppte sich nämlich zu Karls Freude als ein durchaus kompetenter Mensch, der ihm genau und ohne Umschweife die Schwierigkeiten der Metallindustrie (nicht doch: Kunststoffe?) zu erläutern wußte, Rohstoff- und Absatzprobleme mit strenger Begrifflichkeit abhandeln konnte und insgesamt ein so klares Bild von seinem Beruf zu geben verstand, wie Karl es keinem der anwesenden Maler von ihrem Beruf zugetraut hätte. Ein Epos der metallverarbeitenden Industrie müssen Sie schreiben, sagte Karl, den Roman des Rohstoffmangels, aber der Gastgeber winkte nur bescheiden (müde; entkräftet; Hinweis auf seine labile Konstitution?) ab. Das wolle er den Künstlern überlassen, sagte er, bei denen merke man nicht, wann sie Spaß machten, wann Ernst, und ihre moralische Entfremdung sei so total, daß sie tatsächlich glaubten, der großen Kunst noch ein Bild hinzufügen zu müssen. Den ganzen Zauber hier veranstalte ich nur zur Zerstreuung meiner leicht überspannten Frau, fügte er hinzu (flüsterte er ihm zu), deren reine Unwissenheit sie dazu verführt, sich mit immer neuen Bildern umgeben zu müssen. Ihr fehlt der Le-

bensstoff, ihre Verantwortung ist verbraucht, sie hat keine Bestimmung, sagte er heiter, deshalb dieses Kompensationssystem. Sie sieht die Verluste nicht mehr, die wir noch sehen, sie hat kein Gefühl für Verluste (Kategorie des Verlusts ausbauen!). Deshalb auch die Unfähigkeit, ein Buch zu lesen, ein Trauerspiel.
So redeten sie noch eine gute Weile, bis der Erbe einen Krankenwagen holen mußte, weil die Frau des Verkaufsleiters anläßlich der Unterweisung durch den Maler und Bildhauer einen Ohnmachtsanfall erlitten hatte. Sie wurde halbentblößt im Salon aufbewahrt und bestaunt und schließlich von zwei kräftigen jungen Sanitätern ins Krankenhaus verbracht.
Karl blieb nicht viel länger als bis Mitternacht.

Alles streichen. Keine Satire mehr. In die Mülltonne damit.

10

Es war an der Zeit, den Tatsachen ins Auge zu blicken. Immerhin war nun in wenig mehr als zwei Tagen die Arbeit von etwa drei Jahren vernichtet worden, eine Leistung, die in keinem Verhältnis stand und das Schlimmste für die folgenden Kapitel und damit für meine Zukunft befürchten ließ. Schmal sah das Manuskript aus, schülerhaft unfertig, armselig und kaum noch geeignet, einmal zwei Buchdeckel auszufüllen. Mir kam die Zeit in den Sinn, da ich mich selbst für reif genug erklärt hatte, mit der Niederschrift beginnen zu können. Ein Sommer auch damals, ein Spinnwebensommer voller Weißdorn und Wanzenkraut, dessen ästige Blütenstände und aufreißende Balgfrüchte mich zu jener Zeit fast noch mehr beanspruchten als die Demonstrationen gegen alles und jeden, was nicht so dachte wie wir. Mich beschäftigte damals weit mehr die Frage, ob die weite Artauffassung von Huth (1883) und später von Ascherson und Graeber (1929) noch immer berechtigt war oder ob man die unterschiedlichen Varietäten von Actaea nicht doch als eigenständige Arten behandeln sollte, eine weitreichende Problematik der Systematik, die ich, zum Unwillen der Genossen, gerne auch auf gesellschaftliche Fragestellungen anzuwenden pflegte. Aber eines Tages war ich es leid geworden, in den staubigen Schubladen der Floristik von Mitteleuropa nach Material für eine Doktorarbeit zu suchen, und lieber wollte ich ohne akademischen Grad durchs Leben gehen, als noch länger auf die Abfassung meines wahren Lebenswerkes zu warten. Also zerschnitt ich alle Bindungen, die mich damals an mein studentisches Leben fesselten, und machte mich an die fast zehn Jahre langen Vorarbeiten der Materialsuche, die der dann fast wiederum zehn Jahre dauernden Niederschrift des Manuskripts vorangingen.

Eine seltsame Zeit. Auf die Augenblicke tiefer Niedergeschlagenheit folgten Perioden voller Zuversicht, mein Projekt einer romanhaften Geschichte der Einbildungskraft am Beispiel eines heroischen Sonderlings zu einem guten Ende zu bringen, wobei ich durch gelegentliche Seitenblicke in die aktuelle Literatur in meinem Vorhaben bestätigt wurde: so trocken, uninspiriert und langweilig, dabei boshaft und niederträchtig das Problem der Einbildungskraft in der philosophischen Literatur behandelt wurde, so wenig war es Gegenstand der Belletristik, die um jedes Problem einen hartnäckigen Bogen machte und sich überdies in verrückten Kreisformen vollständig aus dem Interesse der Menschheit herausschob. Ich hatte während der Vorarbeiten mehr und mehr das Gefühl, als Solitär dem zentralen Problem der Gegenwart gegenüberzustehen, das mich tausendzüngig anfauchte. Das 19. Jahrhundert ging in meine Kladden ein, Schopenhauer war exzerpiert und Kierkegaard total verzettelt, die Seele tauchte am leeren Horizont der Jahrhundertwende auf und fand Eingang in zahllose meiner Notizbücher, die Materialschlachten des Ersten Weltkriegs und der Faschismus in allen Facettierungen, schließlich der Untergang der Imagination im Zweiten Weltkrieg und ihre stümperhafte Fälschung in der Nachkriegszeit als Kunst und Tinnef. Die Geschichte war abgeschlossen, mein Roman konnte beginnen.

In einem Kapitänshaus an der türkischen Küste, das mir ein Freund aus der Universitätszeit für ein Jahr kostenlos überlassen hatte, auch deshalb, weil in unmittelbarer Nachbarschaft die Soldaten der Junta einen Schießplatz eingerichtet hatten, entwarf ich meine Strukturen und Diagramme, operative Ensembles und Versuchsanordnungen, um Herr über das Chaos meiner Notizen zu werden. Denn um alles in der Welt mußte ich ja zu vermeiden trachten, aus meinem Buch einen gelehrten historischen Schinken werden zu lassen, eine theoretische Abhandlung über das Wegdämmern der Imagination, ihr Abebben und Versickern, was dieses Werk unweigerlich in den Horizont des Verfalls und des Untergangs, der Wehleidigkeit und Apathie gestellt hätte, die um mich herum sich aufzublähen begann. Auf großen weißen Blättern hatte ich mir selbst Befehle geschrieben, die ich an die Mauern des Kapitänshauses gepinnt hatte: Gegen die Immanenz des Systems! Gegen Psychologismus und Angstkult! Gegen die Referenzlosigkeit! Eines Abends war eine Abordnung der Garnison gekommen, angeführt von einem Offizier, der bei Siemens in München gearbeitet hatte und leidlich deutsch sprach, um die Abhängung meiner weißen Fahnen in die Wege zu leiten. Als höflicher Türke wollte er aber wissen, was auf diesen Fahnen stand und was ich mit ihnen besprechen wollte. Selbstdisziplinierung, beschied ich ihm, diese Fahnen sind Befehle zur Selbstdisziplinierung, um meine Kunst nicht zum Gegenstand der kapitalistischen Zierseuche werden zu lassen, all der Unrechtsdiskurse, die in der Zeit der Indifferenz alles Offensichtlichen das Authentische einsaugen und nur noch transsemiotische Denkbilder eines Post-Konzeptionalismus gestatten, das ist mit diesen Denkbildern gemeint. Die Abordnung zog sich in den Garten zurück, wo ihr der Offizier meine Erläuterung der weißen Fahnen übersetzte, zu übersetzen versuchte, denn er kam ständig in die Stube gelaufen, um sich genauere Aufschlüsse über die in den Kreisen des türkischen Militärs unbekannten Begriffe geben zu lassen. Besonders die Indifferenz des Offensichtlichen ließ ihn verzweifeln. Bin ich offensichtlich, gehöre ich dem Offensichtlichen an, ist die Türkei Teil des Offensichtlichen, Griechenland, die Natur, die Ziege vor deinem Haus? Es wurde ein langer Abend, ein

Abend der Unterweisung, des wißbegierigen Lernens, des Austauschs, und als wir endlich durch einen über Funk beorderten Kurier ein Weinfaß erhielten, hielt es die Soldaten kaum noch auf den Sitzen: Kohärenzlügengeschichten, sagten sie im Chor, nieder mit der Parole des Immateriellen, riefen sie sich zu, bis ein eisiger Wind aus Anatolien der ästhetischen Debatte ein Ende setzte. Meine weißen Blätter tanzten in Wirbeln über dem Haus und wurden über das Meer abgetrieben, winzige Pünktchen in einem weiten blauen Himmel, der die Befehle mit kalter Miene zerriß und verschluckte. Was für ein Jahr! Und am Ende ließ ich die Junta hinter mir und fuhr zurück nach Deutschland, wo ich an geschütztem Ort mit der Niederschrift des ersten Kapitels begann, das nun getilgt, zerrissen, zerfetzt, ausgelöscht war.

Der gewaltige Schwindel der menschlichen Existenz, der in meinem Buch dargestellt sein sollte, fiel zu einer harmlosen Lüge zusammen, wenn nicht bald ein Aufwind meine Kräfte wieder mobilisieren würde. Eva kam aus dem Haus, angekleidet, mit Schuhen an den Füßen. Über ihre schwarze Bluse hatte sie mein einziges Jackett gezogen, die Ärmel aufgekrempelt. Auf bald, sagte sie, und ich wurde fahl im Gesicht. Sie hatte also beschlossen zu bleiben, mein Lager zu verkleinern, meine Arbeitszeit zu verkürzen. Und wenn sie bei ihrer Vergewaltigungspraxis blieb, würde sie auch meinen Körper schwächen. Als hätte sie meine Gedanken geahnt, versprach sie, mir etwas Aufbauendes mitzubringen, Essensreste, damit du wieder zu Kräften kommst, und dabei blinzelte sie mir frivol mit dem linken Auge zu, voller Heimtücke meine Angst auskostend. Bis wann geht dein Dienst, fragte ich trocken. So lange du willst, schnurrte sie. Wann du zurückkommst, wollte ich wissen. Bald. Und sei fleißig, ermahnte sie mich unter Küssen, schreib dein dickes Büchlein zu Ende, damit wir reich werden und um die Welt fahren können, und dabei steckte sie mir frech ihre Zunge ins Ohr und fingerte an meinem angststarren Körper herum, der gar nicht mehr zu mir zu gehören schien. Und dann war sie plötzlich auf der Wiese, auf dem Hügel zwischen den Kühen, winkte und schrie irgendwelche obszönen Worte in meine Richtung und war endlich außer Sicht.

11

Wieder allein, entfernte ich alle Sequenzen, die ich mit unbeirrbarer Treue zur Kraft der Liebe als Motor der Einbildungskraft geschrieben hatte, aus meinem Manuskript. Mehr als sechzig Seiten kamen zusammen, drei vollständige Kapitel und viele kleinere Teile, die ich nicht etwa durchstrich, sondern sorgfältig ausschnitt, wenn auf der übrigen Seite noch verwertbare, für den Gang der Handlung notwendige Ideen standen. Mit den flatternden, widerspenstigen Blättern ging ich an den See, und im Bewußtsein befestigt, das Richtige zur rechten Zeit zu tun, versenkte ich sie. Langsam begann die Tinte sich aufzulösen und in kleinen Schlieren sich mit dem Wasser zu vermischen. Neugierige Fischlein schwammen hinzu, stupsten an die immer sauberer werdenden Seiten und drehten wieder ab. Wie Quallen paßten sich die Blätter den Wellen an, trieben ans Ufer und wurden wieder hinausgetragen. Etwa eine Stunde muß ich so vor dem Wasser gehockt haben, stolz und traurig, von Insekten umschwärmt, dann stellte ich mich auf die Füße, erhob leicht die Hand und ging ins Haus zurück.

Die Erde dampfte. Leer und niedergeschlagen, als ob ich einem Abgrund entgegenginge, schlurfte ich den Kiesweg entlang, der im blassen Abendlicht an unerwarteten Stellen aufleuchtete. Es roch nach feuchtem Holz, nach Kuhmist. Alle diese Gerüche und Geruchsmischungen hatte ich so oft wahrgenommen, daß ich mich schämte, sie so und nicht anders zu empfinden. Die Vorstellung, daß in meinem Buch jemand nach der Vernichtung eines lebenswichtigen Dokuments einen Kiesweg entlanggeht und feststellt, daß die Erde dampft und es nach feuchtem Holz und Kuhmist riecht, ließ meine Stimmung endgültig kentern. Wahrscheinlich empfand die Person, deren knirschende Schritte auf dem Kies ich hinter mir hörte, auch nichts anderes. Wahrscheinlich hatte sie gerade festgestellt, wie schön die Erde dampft und wie würzig es nach nassem Holz und Kuhmist riecht. Ich fühlte mich überflüssig, wie gar nicht mehr vorhanden, und wenn nicht die immer lächerlicher auftretende Sorge um mein Buch sich gemeldet hätte, ich wäre wie ein überfauler Pilz in mir zerfallen. Dieses Buch, dessen Held das Todesurteil schon vernommen hatte, hielt mich zappelnd am Leben. Aber der Faden, der die Wörter, die Dinge und die Ideen an mich band, war so dünn geworden, so ausgefranst und zerschlissen, daß ich Angst hatte, er könnte zerreißen, ganz plötzlich hier auf dem Weg mit einem zirpenden Geräusch zerspringen und mich haltlos zurücklassen. Vielleicht mußte ich warten mit der Überarbeitung der restlichen Teile

meines Manuskripts, bis sich in mir eine neue Festigkeit gebildet hatte, eine praktisch wirksame Energie, die aus dem Steinbruch der entleerten Fragmente in mir den harten Kern herauslösen würde, den zu behauen es sich lohnte.
Aber im Moment vermochte ich mir nicht vorzustellen, aus welcher dunklen Ecke meines zerfallenden Lebensgebäudes, dieser künstlichen Ruine, mir Hilfe zuteil werden sollte. Wer sich ganz auf eine Idee, ein Werk stützt, noch dazu ein Werk über die Einbildungskraft, hat keinen festen Stand in dieser Welt, wenn die Idee an einer Stelle zu brechen beginnt, es gibt keinen Nebenhalt, schon gar nicht in Menschen. Ich war das Werk, das Werk war ich, beide bröckelten ab, über diese deprimierende Feststellung half kein Zynismus, keine künstliche Fröhlichkeit, kein Vitalismus in Form von Eva hinweg. Ich war eine Schlange, die sich in den Schwanz biß, und nur ich allein konnte den Schmerz und die Aussichtslosigkeit spüren. Wie ich so verloren auf mein altes Haus zutappte, stieg plötzlich ein glühender Haß in mir auf, mitten aus der Niedergeschlagenheit wuchs eine Haßblume, die nach oben wucherte und mir fast den Atem benahm. Ich mußte stehenbleiben und mich bezähmen, aber der Haß war stärker und stürzte in einer wüsten Wortorgie aus mir heraus. Laßt mich allein, schrie ich dem blauen Himmel über dem See zu, laßt mich in Frieden, ihr traurigen Philosophien, gebt mir meine Ruhe zurück, Men-

schen, ich will zurück zu mir und mich dort antreffen, ohne Mitleid, ohne Zuspruch, ohne Einmischung. Hinweg mit den Gefühlen, fort mit dem kleinen Universum der Täuschung, ins Außerhalb gehört ihr mit eurer unverwüstlichen Humanität von Schlächtern, und immer so weiter, lauter unverbundene Bröckchen, aber in ihrer Gesamtheit ergaben sie doch so etwas wie eine Waffe, mit der ich mir wenigstens für kurze Zeit das Leben vom Leibe halten konnte. Zu lange hatte ich offenbar die Idee des Reinen verfolgt, als daß ich nicht sofort vom Unreinen bis ins Herz getroffen worden wäre. Ins Herz? In die Eingeweide, dieser Schrei kam aus den Eingeweiden, wo die Ideen noch im Urschlamm stecken. Der Blick auf das Haus beruhigte mich, nur ein Zittern blieb, ein grummelndes Nachbeben, eine Dünung des Blutes, und zuckend hing mir die Zunge über die Unterlippe. Was war aus meinem Werk geworden, mit dem ich der lähmenden Ohnmacht meines Lebens eine gewaltige Fügung geben wollte? Was war von der Absicht übrig, dieses Gebäude in der Stille aufzubauen als strenge Denkübung, um dem Trüben und Vermischten, das um mich herrschte und die Köpfe meiner Zeitgenossen mit einem widerlichen Schleier überzog, ein klares Gegenüber zu verschaffen? Wo verbarg sich jetzt meine lange genährte Hoffnung, in der Einsamkeit eine innere Energie zu speichern, die es mir ermöglichen sollte, ohne jeden Einspruch, ohne jede Abhängigkeit und taktische Rücksicht mein Werk zu vollenden? Und was war aus meiner Überzeugung geworden, daß der Plan nur auszuführen war unter strengster Beachtung von Regeln, die zu übertreten den Abbruch bedeuten würde? Eine letzte Zusammenfassung sollte mein Werk sein, und ohne Ironie sollte es auskommen, die doch alle literarischen Anstrengungen meiner Zeit verdarb. Alles Zeitgenössische sollte und mußte getilgt werden, wenn es auf der Ebene der Beschreibung zur Sprache kommen wollte, alles Politische, alles Historische, mit einem Wort: alle Erfahrungen, wie ich sie in fast allen Büchern beschrieben fand, durften meine Feder nicht passieren. Und was war geschehen? Hatte nicht auch ich eine dieser lächerlichen Fiktionen aufgeschrieben, die tagtäglich erfunden, notiert, verkauft und gelesen wurden, ausschließlich zu dem Zweck, Geld zu verdienen, Ansehen zu genießen, Macht auszuüben? Einen Roman zu verfassen, war sowieso eine Angelegenheit für zweifelhafte Geister, die ihren wenigen Ideen einen Rahmen verpassen mußten, da sie sonst in der Nacht der Geschichte verlorengehen würden. Und erst die Beschreibungen von nächtlichen Kieswegen und stillen Seen, von Gerüchen nach Holz und Kuhscheiße, all dieses Getue von angeblich angegriffenen Seelen in angegriffenen Umständen war so widerwärtig und geistfern, so niederträchtig und plump, daß ihre Erzeuger natürlich Ansehen genossen in einer Gesellschaft, die das Erzählen verlernt hatte, deren Einbildungskraft verkümmert war und deren Denkfähigkeit unter der vor hundert Jahren noch zulässigen Wahrnehmungsgrenze lag. Einem solchen Menschenschlag war natürlich das Ironische näher als jede andere geistige Beweglichkeit. Keine Seite meines Buches, hatte ich mir zehn Jahre lang fest vorgenommen, darf den vergiftenden Gestank nach Koketterie und Eitelkeit ausströmen, den infamen Glanz der banalen künstlichen Naivität, der von fast allem ausging, was an Geschriebenem mir damals unter die Augen gekommen war, die peinigende Geistlosigkeit der soziologischen Denkweise, die als erste Wahrheit gerühmt wurde.

Und nun? Ich war mir nicht mehr sicher, was ich überhaupt geschrieben hatte. Muß ich noch einmal anfangen, fragte ich bang den See, der gleichgültig seine Gebete murmelte, als kennte er die finsteren Gestalten, die ihn erregt zu einer Antwort reizen wollten.

12

Ich mußte eingeschlafen sein, denn als ich den Kopf von meinen schmerzenden Unterarmen hob und die Augen öffnete, standen Eva und ein mir unbekannter Herr vor mir in der Stube. Meine Stimmung schlecht zu nennen, wäre niedrige Schmeichelei gewesen, sie fiel aber unter die Grenze des mir selbst Zumutbaren, als der junge Herr, der sich zu undeutlich vorgestellt hatte, um seinen Namen gefahrlos wiederholen zu können, mit fordernder Stimme mein Manuskript zu sehen wünschte. Ist es das Ding da, fragte er und zeigte auf das mir Heiligste, und da zu antworten ich aufgrund seelischer Zerknirschung nicht in der Lage war und es außerdem kein zweites Manuskript in Sichtweite gab, zog er mir mein Manuskript unter den schützenden Armen hervor, setzte sich breitbeinig auf die Couch und begann zu lesen. Wer ist das, fragte ich Eva, die sich zu mir gesellt hatte und mir die mitgebrachten Reste aus dem Gasthaus in den Mund schob, kalte Nierchen, fettige Hühnermägen, Innereien von so durchdringendem Geruch, daß selbst der fremde Leser die Nase zu rümpfen begann, Karottenstümpfe und schließlich Essensteile, die Gäste vollkommen zu Recht als ungenießbar hatten zurückgehen lassen, die ich aber in den Mund nehmen mußte. Wer ist das, fragte ich lauter, wobei ein großer Teil der Speisen sich über den Schoß meiner neuen Lebensgefährtin ergoß, die darob aber nicht ungemütlich wurde. Im Gegenteil, ihre Zuneigung zu mir schien aufrichtiger Natur zu sein, denn sie sammelte alles sorgfältig auf und steckte es mir in kleineren, besser kaubaren Portionen wieder in den Mund. Erst wird gegessen, sagte sie aufgeräumt, dann sehen wir weiter, eine Aussage, die mir in ihrer unverfrorenen Mütterlichkeit den letzten Rest an Fassung raubte. Ich glitt fast besinnungslos zur Erde, Eva ließ es geschehen, ja sie legte sich neben mich und begann allen Ernstes, in dieser Lage leise ein Liebeslied zu singen, einen Schlager der abgeschmackteren Art, der aber eine gute Funktion hatte: nach der fünften oder sechsten der endlosen Strophen versagten die Reime. Dann zersprang die Melodie in kleine, nur noch gehauchte Fragmente, schließlich war Eva eingeschlafen. Ich sortierte die Beine, stand auf und trat auf den Leser zu, zuckte aber doch zurück, ihm das Manuskript, wie ich es vorgehabt hatte, zu entreißen, weil auf seinem groben, fleckigen Gesicht, das so gar nicht zu seiner ordentlichen Kleidung passen wollte, ein Zug tiefster Harmonie lag. Und da er ja, als frecher Eindringling, immerhin nach mir der erste Leser meines Werkes war, ließ ich mich stumm wieder auf einen Stuhl sinken, in beobachtender Haltung, die Hände sorgfältig auf die Knie gelegt. Der Mann, der mir gegenübersaß und dem offenbar die Qualität meiner Arbeit den Mut zu seinem unhöflichen Benehmen gab, blätterte in aller Ruhe Seite um Seite um, runzelte gelegentlich die Stirn oder lachte stumm auf, faßte sich an die Haare, zupfte an der Lippe und riß mehrere Hautstücke ab, die er achtlos in den Raum schnippte, kratzte sich den Knöchel und führte sich ganz allgemein so auf, als hätte ich ihn gebeten, in dieser Nacht mein Manuskript zu lesen. Und wie einer, der schon zu viele schlechte Erfahrungen gemacht hat, um nicht zu wissen, wie wichtig es ist, in gefährlichen Situationen Ruhe zu bewahren und jedes Aufsehen zu vermeiden, wagte ich kaum, mich zu rühren.

Die halbe Nacht mochte so vorübergegangen sein, was ich als ein gutes Zeichen nahm. Würde denn einer, der den Inhalt des Gelesenen ablehnte oder auch nur gelangweilt war, nicht nach kürzester Zeit nach einem Glas Wasser rufen oder ein Bier verlangen oder gähnen und das Manuskript weglegen? Mir war unheimlich zumute, und ich erinnerte mich an einen Nachbarn in Mexiko, der manchmal unangemeldet abends in meiner Hütte stand und mich aufforderte, seine Memoiren zu lesen, eine widerliche Konfession all seiner Missetaten, die er während des Faschismus in Deutschland begangen hatte, aber so spannend erzählt, daß ich oft stundenlang in die Lektüre vertieft war und mich nicht getraut hatte, aufzublicken, um der unleugbaren Tatsache, daß die beschriebenen Schweinereien von dem vor mir sitzenden Nachbarn verübt worden waren, ins Auge zu blicken. Auf seine Zurufe: Wie finden Sie das? konnte ich nicht reagieren, sondern blieb mit hängendem Kopf sitzen und machte überdies mit der Hand schwimmende Gesten, die ihn allmählich verstummen ließen. Er hatte während der Nazizeit sein Geld mit zurückgelassenem jüdischem Besitz gemacht und war nach dem Krieg in Südamerika untergetaucht, also eine ganz normale deutsche Karriere, wenn man seinem Manuskript glauben konnte, in dem eine Unmenge ähnlicher Schicksale beschrieben wurde. Eines Tages hatte er in Amerika einen jener Juden wiedergetroffen, denen er sein Vermögen verdankte, aber statt Reue zu zeigen, machte er sich auf die zynischste Weise über diesen Herrn Salomon lustig. Mein Nachbar war vor mir gesessen, wie ich jetzt vor meinem ungebetenen ersten Leser saß, der Schweiß floß ihm in Strömen den Körper hinunter, und ich erinnere mich genau, wie er plötzlich mit seinen nassen Händen meinen Arm umklammerte und ängstlich fragte, ob er ein guter Schriftsteller sei. Keine Frage nach Schuld oder Moral, sondern nur die schiere Angst, als Schriftsteller versagt zu haben, plagte diesen schnaufenden Rohling. Als Roman sehr gut, antwortete ich ausweichend, noch nie habe ich den Zynismus von Mitläufern so treffend dargestellt gefunden, die maskierte Sentimentalität, und die Flucht vor

den von Salomon beauftragten Detektiven geht an die Nieren, auch das Kapitel, wie der Typ sich mit Hilfe des CIA nach Bolivien absetzt, dort aber von den wirklichen Nazis empfangen wird, die in ihm nur den Geschäftemacher sehen, nicht den ideologischen Partner, das scheint mir deshalb überzeugend gelungen, weil es mit der Psychologie hinter dem Berg hält und dadurch die Struktur sichtbar wird, das politische Gerüst, die niedrige Gesinnung, die kriecherische Veranlagung des Helden, der sein elementares Bedürfnis nach Verletzung hinter seinem brutalen Gehabe versteckt, sein Verlangen, hilflos und erbärmlich zu sein — mit einem Wort, faßte ich meine Auslassungen zusammen, dieser Roman zeigt auf kunstvoll offene Weise, wie ein haltloser Mensch auf die schiefe Bahn gerät und zum Gauner wird, damit aber eine sublimierte Form eines noch schlimmeren Verbrechens ausbildet, die es ihm letztendlich gestattet, ein menschliches Leben unter Menschen zu führen. Das ist große Kunst!
Gelungen, ja? war alles, was der schweigsame Nachbar zu fragen wußte, der das Manuskript fortan an zweifelhafte Agenturen versandte in der Hoffnung, nun auch noch mit seinen Memoiren das große Geld zu scheffeln. Mit den Antworten kam er dann auch zu mir, las mir die verlogenen Briefe vor und bat um Hilfe, tatsächlich bat mich dieser Großgrundbesitzer flehentlich um Vermittlung, von Kollege zu Kollege

gleichsam. Ein Verlag hatte geschrieben, im Moment lasse sich mit Nazi-Memoiren leider kein Geld verdienen, ein anderer, man hätte schon so viele Nazi-Memoiren im Programm, daß es langsam auffalle und man wegen ihrer guten Verkäuflichkeit Neid errege, ein dritter kam der Sache schon näher mit der Empfehlung, der Autor solle so tun, als schriebe er die Erzählungen des Erzählers nur auf, sei gleichsam nur verstärkender Ghostwriter, weil die mitgelieferten Eingeständnisse von Verbrechen und Betrug auf ein aus vorwiegend weiblichen Personen zusammengesetztes Lesepublikum irritierend, wenn nicht gar abstoßend wirken könne, und ein vierter, im Hessischen beheimateter Verlag ließ durch seinen Vizedirektor mitteilen, ihm fehle entschieden die Liebe, auch in der Nazizeit hätte es sie gegeben, wie er mit eigenen Augen bestätigen könne. Nun wäre der Verdacht unbegründet, in des Nachbarn Memoiren seien keine Verhältnisse zwischen Männern und Frauen zur Sprache gekommen, im Gegenteil, aber waschechte Liebesverhältnisse waren das natürlich nicht. Es wurde eher auf die alte Art geliebt, kurz und bündig, weniger zeitgenössisch.
Um den Mann nicht einer heillosen Depression ans Messer zu liefern, die ihm diese erste schwere Niederlage seines Lebens zweifellos eingebracht hätte, wiederholte ich dem hilflos Stammelnden, was ich schon anfangs erklärt hatte, nämlich, er solle seine Memoiren Roman nen-

nen und diesen nicht länger ausschließlich neofaschistischen Verlagshäusern einreichen, vielmehr die Publikumsverlage bedenken, auch auf die Gefahr hin, daß die Leser sein Werk für reine Erfindung halten könnten. Er verschwand, mehrere Wochen lang ließ er mich in Frieden arbeiten, so daß ich schon hoffen durfte, mein schriftstellernder Nachbar hätte es aufgegeben, die Menschheit mit seinen sinistren Erzählungen quälen zu wollen, da stand er eines Abends, der Mond hatte sich schon geltend gemacht, unter der Tür: verquollen, vernichtet, mit blutunterlaufenen Augen, die wie die Glasaugen eines Stofftiers glosten, und einer vom Alkohol durchsäuerten Fahne, mit der er die mexikanischen Stubenfliegen hätte töten können. Feierlich erklärte er mir, fortan auf seine persönliche Geschichte verzichten und Autor eines Romans werden zu wollen. Ich gebe zu, ich war erleichtert. Wir einigten uns auf einen reißerischen Titel, ersetzten »Memoiren« mit »Roman aus dem wirklichen Leben«, und er verschickte das Manuskript an die ersten Adressen der Verlagsbranche in der Bundesrepublik, die sich auch umgehend äußerten: ein süddeutsches Unternehmen, spezialisiert auf Lebensberichte von Schauspielern, ehemaligen Nazis und anderen hochgestellten Persönlichkeiten des öffentlichen Lebens, zeigte sich entzückt und schickte sofort einen Vertrag, und noch während meines so glücklich verbrachten Aufenthalts in Mexiko erreichten den Nachbarn die Fahnen seines Buches. Ich erstand später die vierte Auflage der Taschenbuchausgabe, die noch heute auf dem Regal steht, neben dem der unheimliche Leser, immer noch in mein Manuskript vertieft, ohne einen Mucks zu sagen, las.

13

Die Sonne erhellte schon meine trüben Fensterscheiben, als der Spuk endlich ein Ende genommen hatte. Der junge Herr, bis dahin namenlos, hatte sich plötzlich erhoben, die Beine gestreckt, ein paar gymnastische Übungen gemacht, die Luft tief eingesogen und sie mir anschließend kräftig ins Gesicht geblasen. Die Hände in die Hüften gestemmt, den Oberkörper nach hinten gebogen, war er einige Male auf und ab gegangen, wobei er sorgfältig darauf geachtet hatte, der schlafenden Eva nicht auf die Hände zu treten, die wie abgetrennt von ihrem Körper auf den Dielen lagen. Vor mir, dem regungslos auf dem Stuhl verharrenden Zuschauer, war er dann stehengeblieben, hatte mir die rechte Hand auf meine linke Schulter gelegt und einmal kräftig zugedrückt, so kurz und stark, daß der Schmerz schon vergangen war, als ich ihm Ausdruck verleihen wollte. Und schließlich hatte er seine vollendete Pantomime mit einem unerhörten Abgang vollendet; denn plötzlich sah ich ihn, das Manuskript unter dem Arm, in der offenen Tür stehen, die linke Hand zu einem Gruß halb erhoben. Wir sprechen uns noch, hatte er gerufen und war verschwunden. Eva, von dem Geräusch der sich schließenden Tür erwacht, hatte

sich ächzend hochgerappelt, meine steife Hand ergriffen und mich auf die Couch gezerrt, wo sie, mich umschlingend, sofort wieder einschlief. So hatte ich Zeit, meine sich zunehmend verschlechternde Lage zu bedenken, die ja, wenn ich es recht bedachte, eine düstere Zukunft für die gesamte Situation der Literatur erwarten ließ.
Mein Manuskript war ich los.

14

Die folgenden Wochen des ausgehenden Sommers verbrachte ich damit, Ordnung in meine Angelegenheiten zu bringen. Ich räumte auf, ordnete die Papiere, warf weg, was ich nicht mehr brauchen würde. In der Buchhandlung der Kreisstadt kaufte ich mir einige Neuerscheinungen, die ich, faul im Grase liegend, lustlos las, auch die Zeitung blätterte ich durch, wenn Eva sie mir aus dem Gasthaus mitbrachte, das ich selbst nicht mehr betreten hatte seit unserer Zweisamkeit. Es erschienen weiterhin Romane, deren Inhalt schlecht und recht wiedergegeben wurde, Bücher über Homer und Dante, Sex und Frauen, auch Lyrisches, eine Menge interessanter Abhandlungen aus der Naturwissenschaft, dazu Essays über den Stand der Kultur, die unverständliche Prognosen abgaben. Eine Unlust war zu spüren, ein hilfloses Stochern, eine Sackgassenmentalität auf der einen Seite und auf der anderen die üblichen Durchhalteparolen, die Vernunft wird siegen, der Mensch darf sich nicht aufgeben, die Kultur paßt sich an. Dabei hatte sich die Vernunft offenbar in einen Computer verwandelt, den die Kulturkritiker nicht bedienen konnten, also standen sie ratlos herum und sprachen in Rätseln. Nichts Schlimmes war passiert, nur daß alles immer schlimmer wurde auf die heiterste Art. Auch um den Garten kümmerte ich mich, schnitt das Gras, band die Rosen an, die mächtig geschossen waren, zupfte das Unkraut von den Wegen und versuchte den Maulwurf zu vertreiben, der sich hier wohlzufühlen schien. Mit der Bank führte ich eine kurze Korrespondenz, hart, aber fair und von der Einsicht getragen, daß Institute dieser Größe, mit vielfältigen Verpflichtungen in den ärmeren Ländern, sich nicht um meine Angelegenheiten kümmern konnten. Dann war alles Äußerliche getan, und ich konnte mich innerlich auf den Brief vorbereiten, den ich täglich erwartete.

Eva hatte mich über die Existenz des Mannes aufgeklärt, der mit meinem Lebenswerk davongegangen war. Das heißt, sie hatte mir erzählt, wie sie ihn im Gasthaus kennengelernt und ihm von mir und meiner epochalen Arbeit erzählt hatte. Er, der für mich inzwischen nur noch der Schwätzer hieß — anfänglich aber durchaus nicht so geheißen hatte —, war auffällig geworden, weil er Sekt zum Essen bestellt hatte, roten Erdbeerschaumwein zum Schweinebraten, was, wenn man der Erinnerungsfähigkeit des Wirts glauben mochte, in der langen Geschichte des Gasthauses noch nie vorgekommen war. Anschließend hatte er den neugierig gewordenen Wirt an den Tisch gebeten und ihm gute Ratschläge erteilt. Sie müssen den Laden umkrempeln, soll er gesagt haben, weg mit dem ländlichen Charme, mit der altdeutschen Holzbestuhlung, ziehen Sie den Servierfräulein eine weiße Schürze über den Kittel, auch eine ordentliche Frisur sollte möglich sein, saubere Fingernägel würden nicht schaden, und die Seebilder müssen von der Wand, der Hirsch gehört in den Keller. Sie müssen eine neue Klasse zu Tisch bitten, nicht den Mischmasch, der hier sein Bier trinkt und Fettbrote verzehrt mit saurer Gurke. Auch ein neuer Koch muß her, habe er dem Wirt gesagt, die Küche muß transparent werden. Transparent, hatte der Wirt geantwortet, ein vierschrötiger Allgäuer, den ein ungutes Schicksal und eine mißgünstige Frau an dieses Seeufer verschlagen hatten, transparent, schön und gut, aber Gott weiß, woher die Transparenz kommen soll. Schluß mit dem Synkretismus auf den großen Tellern, das Einfache, Transparente müssen Sie wählen, so der Mann laut Eva weiter, der im übrigen leichtes Spiel hatte, weil plötzlich das ganze Lokal Erdbeerschaumwein getrunken habe, so ungefähr das rüdeste Gesöff des deutschen Kellereigewerbes, eine Schande angeblich, aber alle hätten vor den langstieligen Gläsern gesessen und hätten sich zugeprostet mit abgespreizten kleinen Fingern, geckenhaft, und jeder habe sich überdies noch in Richtung des Herrn verneigt, dem vermuteten Erfinder der Scheußlichkeit; die Verwandlung der Schweine in Menschen, so etwa ließe sich nach Eva das Bild beschreiben, dessen Wirkung noch lange ange-

halten hatte, wie ich selber erfahren durfte: auch Eva war wie verwandelt.
Sie spielte sich seither als Hausfrau auf, bezog sogar die Couch, auf deren freistehenden Noppen ich jahrelang, ohne ein Laken zu vermissen, geschlafen hatte, und wenn sie nachts nach Hause kam, wurden mir die Essensreste nicht mehr direkt in den Mund gestopft, sondern auf einem Teller serviert. Der Mann jedenfalls, der diese Veränderungen bewirkt hatte, habe auf sie einen vertrauenerweckenden Eindruck gemacht, was man, im Vertrauen gesagt, von keinem anderen Gast des Lokals erwarten durfte und konnte, allesamt Fellachen, Gesindel, Geizhälse. Kurz, sie habe sich bei Gelegenheit des Servierens der vierten Flasche Erdbeerschaumwein ein Herz genommen und dem Herrn unser Problem vorgetragen. Unser Problem? Ja, unser Problem, unsere Zukunft, die ja, so Eva, an das gottverdammte Manuskript geknüpft zu sein scheint! Und der Mann, der sich als Leiter eines psychologischen Beratungsinstituts vorgestellt hatte, in dem vor allem Managern ein leichter Zugang zum Sinn gewiesen wurde, aus der Bahn gekippten Handelsherren, die sich plötzlich weigerten, ihre Bilanzen zu lesen und dem Alkohol verfielen, dieser Mann, ein Doktor der Philosophie (»Der Begriff der Wahrheit bei Nietzsche«), habe sich sofort einverstanden erklärt, mein Manuskript zu lesen. Eine romanhafte Geschichte der Einbildungskraft, das habe ihn mächtig angezogen, der

war plötzlich ganz scharf, hatte Eva gesagt, und wenn es etwas taugt, habe er gesagt, dann werde er selber es verlegen, in seinem Ratgeberverlag, dessen Buchproduktion eine Revolutionierung der falschen Konditionierungen anstrebe und bereits eingeleitet habe, wie sie, Eva, sicher wisse. Durch positives Denken zur Revolution, dies sei sein Ziel: Sie müssen die Realität akzeptieren, hatte er Eva unterwiesen, Sie müssen sich selbst, andere Menschen und Ihre Umwelt um ihrer selbst willen akzeptieren; Sie müssen spontan sein; Sie halten einen gewissen Abstand und zeigen das Bedürfnis nach Zurückgezogenheit; Sie wechseln alle vierzehn Tage die Bettwäsche; Sie müssen sich mit der Menschheit identifizieren; Ihre intimen Beziehungen zu einigen Menschen — nicht zu vielen — gehen in die Tiefe, nicht in die Breite; Sie dürfen die Mittel keineswegs mit dem Ziel verwechseln; Ihr Sinn für Humor ist eher philosophischer als zynischer Natur; Sie müssen über Ihre Umgebung hinausgehen, anstatt sich mit ihr zu arrangieren. So wie ich es mir langsam abgewöhnt hatte, das Gebrabbel Evas zu kommentieren, so schien sie wild entschlossen zu sein, mich mit dem Kelch der Güte umzubringen. Noch eine gute Weile versuchte ich, eine ehrenhafte Haltung einzunehmen, dann brachen die Schranken des Selbstschutzes und ließen die Wasser der Resignation mich kräftig durchspülen. Irgendwann mußte die unfromme Farce ein Ende haben.

Ein Hund war uns zugelaufen, ein Ohr abgeknickt, das andere abstehend, der die zierlichsten und krummsten Beine und darauf einen unvorstellbar mächtigen Körper hatte. Wenn ich Haferflocke sagte, kam er, wenn ich Benny rief, stellte er das abgeknickte Ohr auf, wenn ich Maus flüsterte, legte er sich auf den Rücken. Er hatte das Gemüt eines Engländers und das Aussehen eines andalusischen Aristokraten, weshalb ich es ihm auch nicht übelnahm, daß er ohne Abschied wieder verschwand.
Eines Tages brachte der Briefträger ein Paket Bücher aus dem Ratgeberverlag, die ich lustlos dem Mülleimer übergab. Zu viele Bücher existierten auf der Welt, zu viele Bilder, zu viele Ideen waren im Umlauf, die Erfahrungen verbreiteten sich wie krebshafte Wucherungen, aber nichts als ästhetische Schwärmerei, keine Durchrüttelung, um dann in aller Ruhe den Geist aufzugeben. Die Evidenz der Dummheit war offensichtlich, Wissen hatte sich in Luft aufgelöst, in kindische Passionen, die sich als Wahrheit tarnten. Vertraute Gespenster. Regionale Verblödung. Im Haus gab es Mäuse. Du mußt ein Vertilgungsmittel kaufen, sagte Eva. Bürokratische Argumente. Wieviel Vertrauen durfte ich einer Frau schenken, die Mäuse vergiften wollte? Von einer seltsamen Exaltation ergriffen, erklärte ich ihr den Krieg, was sie nicht hinderte, mich einen armen Teufel zu nennen. Aber ich war nicht mehr geneigt, ihr Glauben zu schenken. Es wurde ein

langer Sommer, der längste Sommer meines Lebens. Meines Lebens?
An einem Dienstag, nachdem Eva, die mein verändertes Verhalten mit dem grotesken Verdacht der Untreue belegt hatte, zur Arbeit gegangen war, schloß ich sorgfältig das Haus ab, warf den Schlüssel in den See und machte mich auf den Weg. Ich hatte die Sonne im Rücken, die mir einen immer schwächer werdenden Schatten mit auf die Reise gab, der sich dann irgendwann auch verflüchtigte und mich allein gehen ließ, kräftig ausschreitend, als gäbe es nur mich allein auf der Welt.

Für Plečko

MICHAEL KRÜGER

Der Mann im Turm

Roman

»Eine kleine Wendung, ein winziger Dreh nur« – und schon wird jemand Papst. Oder Bundeskanzler. Oder Maler, deutscher Landschaftsmaler, um genauer zu sein, wie der, von dem hier erzählt wird. Er hat sich zurückgezogen in den Süden Frankreichs mit dem selbstgesetzten Auftrag, die vier Jahreszeiten zu porträtieren. Zu diesem Zweck hat er einen alten Turm bezogen, der zwar keineswegs aus Elfenbein ist, ihm aber doch Schutz genug bietet zum Arbeiten. So lange jedenfalls, bis eine neuerliche kleine Wendung – die man, wenn sie nicht so weitreichende Konsequenzen nach sich gezogen hätte, auch einfach Zufall nennen könnte – ihn auf einen Barhocker bringt, von dem aus er, wenn auch zunächst nur mit halbem Ohr, Zeuge der Unterhaltung eines neben ihm hockenden Paares wird, offenkundig Deutsche wie er. Von nun an mischen sich beide, wenn auch in sehr unterschiedlicher Form, in sein Leben ein. Und eben darüber, über dieses Leben, dessen Sinn und Ziel, zwingt ihn die weitere Entwicklung – wenn auch nicht unbedingt freiwillig – zum Nachdenken. Was ist? Was soll's? Was wird? Etwas.
Mit leichter Hand und gewichtigen Argumenten mischt Michael Krüger Elemente des Kriminal- und des Künstlerromans und nimmt uns mit auf eine unterhaltsame Reise in das Innere dieser Zeit.

Residenz Verlag